Universale Economica Feltrinelli

FRED UHLMAN
L'AMICO RITROVATO

romanzo

Introduzione di Arthur Koestler
Traduzione di Mariagiulia Castagnone

Feltrinelli

Titolo dell'opera originale
REUNION
© 1971 Fred Uhlman
Introduction © 1977 William Collins Sons & Co. Ltd.

Traduzione dall'inglese di
MARIAGIULIA CASTAGNONE

© Giangiacomo Feltrinelli Editore Milano
Prima edizione in "Impronte" gennaio 1986
Prima edizione nell'"Universale Economica" novembre 1988
Sessantesima edizione giugno 2005

ISBN 88-07-81054-9

www.feltrinelli.it

Libri in uscita, interviste, reading,
commenti e percorsi di lettura.
Aggiornamenti quotidiani

Per Paul e
Millicent Bloomfield

INTRODUZIONE

Qualche anno fa, quando lessi per la prima volta *L'amico ritrovato* di Fred Uhlman, scrissi all'autore (che allora conoscevo solo come pittore) dicendogli che consideravo il suo libro un capolavoro minore. Quest'aggettivo richiede forse qualche parola di spiegazione. Esso, infatti, si riferisce alle dimensioni ridotte dell'opera e all'impressione che, nonostante tratti della più atroce tragedia della storia umana, è scritta in un tono minore, pieno di nostalgia.

Dal punto di vista del formato, *L'amico ritrovato* non è né un romanzo né un racconto, ma una novella, forma letteraria più apprezzata sul continente che qui. Pur essendo priva della complessità strutturale e delle qualità panoramiche del romanzo, differisce dal racconto, in quanto quest'ultimo si articola generalmente attorno a un unico episodio, a un frammento di vita, mentre la novella aspira ad essere qualcosa di più completo: un romanzo in miniatura. Fred Uhlman raggiunge mirabilmente il suo scopo, forse perché i pittori sanno adattare la composizione alle dimensioni della tela, mentre gli scrittori, sfortunatamente, dispongono di una quantità illimitata di carta.

Uhlman riesce anche a dare alla narrazione una qualità musicale che è al tempo stesso lirica e ossessiva. "Le mie ferite," dice Hans Schwarz, il protagonista, "non sono guarite e ogni volta che ripenso alla Germania, è come se venissero sfregate con del sale." Tuttavia i suoi ricordi sono intrisi di desiderio: il desiderio di "colli azzurrini di Svevia, pieni di dolcezza e di serenità, coperti di vigneti e incoronati di castelli" e della "Foresta Nera, dove i boschi scuri, odorosi di funghi e di resina, che colava dai tronchi in lacrime ambrate, erano intersecati da torrenti ricchi di trote, sulle cui rive sorgevano le segherie." Il personaggio è costretto a fuggire dalla Germania, i suoi genitori sono spinti al suicidio, e tuttavia il gusto che resta, dopo la lettura della novella, è la fragranza del vino locale, assaporato nelle locande di legno scuro situate sulle rive del Neckar e del Reno. Non c'è nulla del furore wagneriano, qui; anzi, è come se Mozart avesse riscritto *Il crepuscolo degli dei.*

Centinaia di grossi volumi sono stati scritti sul tempo in cui i corpi venivano trasformati in sapone per mantenere pura la razza ariana, tuttavia credo sinceramente che questo smilzo volumetto troverà una sua collocazione duratura negli scaffali delle librerie.

Arthur Koestler

Londra, giugno 1976

1.

Entrò nella mia vita nel febbraio del 1932 per non uscirne più. Da allora è passato più di un quarto di secolo, più di novemila giorni tediosi e senza scopo, che l'assenza della speranza ha reso tutti ugualmente vuoti — giorni e anni, molti dei quali morti come le foglie secche su un albero inaridito.

Ricordo il giorno e l'ora in cui il mio sguardo si posò per la prima volta sul ragazzo che doveva diventare la fonte della mia più grande felicità e della mia più totale disperazione. Fu due giorni dopo il mio compleanno, alle tre di uno di quei pomeriggi grigi e bui, caratteristici dell'inverno tedesco. Ero al Karl Alexander Gymnasium di Stoccarda, il liceo più famoso del Württemberg, fondato nel 1521, l'anno in cui Lutero comparve davanti a Carlo V, imperatore del Sacro Romano Impero e re di Spagna.

Ricordo ogni particolare: l'aula scolastica, con le panche e i banchi massicci, l'odore acre, muschioso, di quaranta pesanti cappotti invernali, le pozze di neve disciolta, i contorni bruno-giallastri sulle pareti grige in corrispondenza del punto in cui, prima della rivoluzione, erano appesi i ritratti del Kaiser Guglielmo e del re del Württemberg. Se chiudo gli occhi, riesco ancora a vedere le schiene dei miei compagni, molti dei quali sono morti nelle steppe della Russia o nelle sabbie di Alamein. Risento ancora la voce stanca e disillusa di Herr Zimmermann che, condannato all'insegnamento a vita, aveva accettato il suo destino con triste rassegnazione. Aveva il volto pallido e i capelli, i baffi e la barbetta a punta erano striati di grigio. Guardava il mondo attraverso gli occhiali a pince-nez che teneva appoggiati sulla punta del naso con l'espressione di un cane randagio in cerca di cibo. Anche se non doveva avere più di cinquant'anni, a noi pareva che ne avesse ottanta. Lo disprezzavamo perché era buono, gentile e aveva addosso l'odore dei poveri — molto probabilmente il suo appartamentino bicamere non era dotato di bagno — e anche perché in autunno e nei lunghi mesi invernali indossava un abito lustro, verdastro e rappezzato (possedeva un altro vestito, che portava in primavera e in estate). Lo trattavamo dall'alto in basso e, a volte, anche con crudeltà, la crudeltà codarda che i ragazzi in buona salute mostrano spesso nei confronti dei deboli, dei vecchi e degli indifesi.

Si stava facendo buio, ma non abbastanza per accendere la luce. Dalle finestre distinguevo ancora con chiarezza la chiesa della guarnigione, un brutto edificio costruito nel tardo ottocento, temporaneamente abbellito dalla neve che copriva le torri gemelle svettanti nel cielo plumbeo. E belle erano anche le colline bianche che circondavano la mia città natale, al di là delle quali finiva il mondo e iniziava il mistero. Scarabocchiavo, mezzo addormentato, inseguendo le mie fantasie e strappandomi di tanto in tanto un capello per tenermi sveglio, quando si udì un colpo alla porta e, prima che Herr Zimmermann avesse potuto dire: *"Herein"*, entrò il professor Klett, il direttore. Nessuno, tuttavia, degnò di uno sguardo l'ometto azzimato, perché i nostri occhi si posarono all'unisono sullo sconosciuto che lo seguiva, novello Fedro al seguito di Socrate.

Lo fissammo come se fosse stato un fantasma. Più ancora del portamento pieno di sicurezza, dell'aria aristocratica, del sorriso appena accennato e vagamente altezzoso, ciò che mi colpì — con me anche gli altri — fu la sua eleganza. Per quanto riguardava l'abbigliamento, infatti, io e i miei compagni costituivamo una congrega ben squallida. Le nostre madri erano convinte che per andare a scuola andasse bene qualsiasi cosa, purché fatta di stoffa robusta e resistente. Visto che l'interesse nei confronti delle ragazze era ancora sopito, non ci importava molto di farci vedere con indosso quell'insieme penoso di giacche e pantaloni corti o alla zuava, tutti ugualmente pratici e funzionali, acquistati nella speranza che sarebbero durati finché non fossimo cresciuti troppo per portarli.

Ma il ragazzo che ci stava davanti era diverso. I pantaloni lunghi che portava erano di ottimo taglio e perfettamente stirati, ben diversi dai nostri confezionati in serie. L'abito dall'aria costosa era ricavato in un tessuto grigio chiaro a spina di pesce, di sicura fabbricazione inglese. La camicia azzurra e la cravatta blu a pallini bianchi facevano apparire le nostre, per contrasto, sporche, unte e sdrucite. Anche se ogni tentativo di eleganza costituiva ai nostri occhi un segno di effeminatezza, non potemmo impedirci di provare invidia nei confronti di quella figura, che trasudava agio e distinzione.

Il professor Klett andò dritto verso Herr Zimmermann, gli sussurrò qualcosa all'orecchio e sparì nell'indifferenza generale. I nostri sguardi erano fissi sul nuovo venuto che se ne stava immobile e composto, senza mostrare alcun segno di nervosismo o di timidezza. In un certo senso sembrava più vecchio e più maturo di noi, tanto da farci dubitare che si trattasse solo di un futuro allievo. Non saremmo rimasti sorpresi se fosse sparito altrettanto in silenzio e misteriosamente di com'era arrivato.

Herr Zimmermann si tirò su gli occhialini, esplorò la classe con occhi stanchi, scoprì un posto vuoto proprio davanti a me, scese dalla pedana e, tra la sorpresa dei presenti, accompagnò il nuovo venuto al banco che gli aveva assegnato. Poi, con un leggero cenno del capo, quasi che avesse avuto in mente di inchinarsi ma non avesse osato farlo, indietreggiò lentamente senza smettere di guardarlo. Tornato alla cattedra, gli si rivolse dicendo: "Vorrebbe cortesemente comunicarmi il suo nome e cognome, e il luogo e la data di nascita?"

Il giovane si alzò. "Konradin, conte di Hohenfels, nato a Burg Hohenfels, nel Württemberg, il 19 gennaio 1916," annunciò. Poi si sedette.

2.

Fissavo lo strano ragazzo, che aveva esattamente la mia età, come se fosse giunto da un altro mondo. Non dipendeva dal fatto che fosse conte. Nella mia classe c'erano parecchi *von*, ma nessuno di loro pareva diverso dal resto della scolaresca, composta da figli di commercianti, di banchieri, di pastori, di sarti o di funzionari delle ferrovie. C'era Freiherr von Gall, un povero ragazzino, figlio di un ufficiale dell'esercito in pensione che, non potendo permettersi il burro, dava solo margarina ai suoi figli. C'era il barone von Waldeslust, il cui padre possedeva un castello nei pressi di Wimpfen-am-Neckar e i cui antenati erano stati insigniti del titolo nobiliare per i servigi di dubbia natura resi al duca Eberhard Ludwig. C'era persino un principe, Hubertus Schleim-Gleim-Lichtenstein, ma era così stupido che nemmeno il sangue blu gli impediva di essere lo zimbello di tutti. Ma questo era un caso diverso. Gli Hohenfels facevano parte della nostra storia. Per la verità il loro castello, situato tra Hohenstaufen, Teck

15

e Hohenzollern, era ormai in rovina e le torri diroccate lasciavano nudo il cucuzzolo della montagna, ma la fama del casato era ancora viva. Le imprese della famiglia mi erano note quanto quelle di Scipione l'Africano, di Annibale o di Cesare. Ildebrando von Hohenfels era morto nel 1190 nel tentativo di salvare Federico I di Hohenstaufen, il grande Barbarossa, dai flutti turbinosi del Cidno, un fiume dell'Asia Minore. Anno von Hohenfels, amico di Federico II, il più grande degli Hohenstaufen, la cui magnificenza gli aveva valso il soprannome di *Stupor mundi*, aveva aiutato l'imperatore a redigere *De arti venandi cum avibus* ed era spirato a Salerno nell'anno 1247 tra le sue braccia. (Il suo corpo è ancora conservato a Catania in un sarcofago di porfido sorretto da quattro leoni.) Federico von Hohenfels, sepolto a Kloster Hirschau, era stato ucciso a Pavia, dopo aver preso prigioniero Francesco I di Francia. Valdemaro von Hohenfels era caduto a Lipsia. I due fratelli Fritz e Ulrico avevano perso la vita a Champigny nel 1871, prima il più giovane e in seguito il maggiore, mentre cercava di portarne il corpo in salvo. Un altro Federico von Hohenfels era stato ucciso a Verdun.

E qui, a mezzo metro di distanza, nella stessa stanza dov'ero io, sotto i miei occhi attenti ed ammaliati, sedeva un membro di quell'illustre stirpe. Seguivo affascinato ogni suo gesto: il modo in cui apriva la cartella tirata a lucido, quello in cui disponeva con le dita bianche e perfettamente pulite (così diverse dalle mie, che erano tozze, goffe e perennemente macchiate d'inchiostro) la penna stilografica e le matite dalla punta acuminata come quella di una freccia, il movimento con cui apriva e chiudeva il quaderno. Tutto in lui risvegliava la mia curiosità: la cura con cui sceglieva la matita, la posizione in cui stava seduto — tanto eretto da far pensare che fosse sul punto di alzarsi per impartire un ordine a un esercito invisibile —, la mano che passava sui capelli biondi. Mi rilassavo solo quando, al pari di chiunque altro, anche lui cominciava ad annoiarsi e a giocherellare, nell'attesa che suonasse la campana che annunciava l'intervallo tra una lezione e l'altra. Studiavo il suo volto fiero, dai tratti finemente cesellati e sono certo che nessun innamorato guardò mai Elena di Troia con altrettanta intensità, né fu più conscio della sua inferiorità. Chi ero *io* per avere l'ardire di rivolgergli la parola? In quale ghetto d'Europa erano stati rintanati i miei progenitori quando Federico von Hohenstaufen aveva porto a Anno von Hohenfels la sua mano ingioiellata? Cosa potevo mai offrire io, che ero figlio di un medico ebreo, nipote e bisnipote di rabbini e discendente da una famiglia di piccoli commercianti e mercanti di bestiame, a quel ragazzo dai capelli d'oro il cui solo nome bastava a riempirmi di tanta rispettosa ammirazione?

Come avrebbe potuto, dall'alto della sua gloria, capire la mia timidezza, il mio orgoglio, la mia suscettibilità e il mio timore di venire ferito? Cosa poteva mai avere Konradin von Hohenfels in comune con me, Hans Schwarz, privo com'ero di sicurezza e di qualsiasi dote mondana?

Per quanto possa sembrare strano, non ero l'unico a cui la sola idea di rivolgergli la parola provo-

17

casse un simile stato di agitazione. Anche gli altri lo evitavano. Nonostante l'abituale grossolanità dei gesti e del linguaggio, gli epiteti disgustosi che erano sempre pronti a rivolgersi l'un l'altro — Puzzone, Fogna, Ammassodilardo, Facciadiporco — e la facilità a menar le mani anche senza ragione, quando se lo trovavano davanti ammutolivano, assumendo un'aria imbarazzata e, ovunque andasse, gli cedevano il passo. Anch'essi sembravano stregati. Se uno qualsiasi di noi avesse osato presentarsi vestito come Hohenfels, si sarebbe coperto di ridicolo. Nel suo caso, invece, persino Herr Zimmermann sembrava preoccuparsi di non disturbarlo.

E non era tutto; anche i suoi compiti venivano corretti con la massima cura. Mentre Zimmermann si limitava a scrivere a margine dei miei fogli commenti lapidari come "Mal costruito", "Cosa significa?", "Non c'è male" o "Più attenzione, per piacere", i suoi elaborati erano chiosati con un'abbondanza di osservazioni e spiegazioni che dovevano essere costate al nostro professore un bel po' di lavoro supplementare.

Hohenfels, tuttavia, non sembrava soffrire del fatto di essere lasciato a se stesso. Forse ci era abituato. Eppure non dava mai l'impressione di essere orgoglioso, vanitoso, o animato dal desiderio di differenziarsi dagli altri, anche se, al contrario di noi, era sempre estremamente gentile, sorrideva quando qualcuno gli rivolgeva la parola e teneva aperta la porta per far passare quelli che volevano uscire. Ciò nonostante i ragazzi avevano paura di lui. Penso che fosse il mito degli Hohenfels a renderli, come me, timidi e incerti.

Persino il principe e il barone lo lasciarono in pace, all'inizio, ma una settimana dopo il suo arrivo vidi tutti i *von* avvicinarglisi nell'intervallo tra la seconda e la terza ora di lezione. Il principe fu il primo a parlargli, seguito dal barone e dal Freiherr. Non riuscii ad afferrare che qualche frammento della loro conversazione. "Mia zia Hohenlohe", "Maxie ha detto" (chi era Maxie?). Furono citati altri nomi, evidentemente familiari a tutti loro. Alcuni suscitarono l'ilarità generale, altri vennero pronunciati con grande rispetto, quasi sottovoce, come se si fosse alla presenza di un'altezza reale. Ma la riunione non parve approdare a niente. In seguito, quando si incontrarono, si limitarono a scambiarsi un cenno del capo, un sorriso e qualche parola, senza che Konradin uscisse dalla sua riservatezza.

Qualche giorno dopo fu il turno del "Caviale della classe". Il soprannome designava tre ragazzi, Reutter, Müller e Frank, che avevano l'abitudine di starsene per conto loro, senza mescolarsi agli altri, nella certezza di essere destinati, unici fra tutti, a lasciare la loro impronta nel mondo. Si recavano a teatro e all'opera, leggevano Baudelaire, Rimbaud e Rilke, parlavano di paranoia e dell'"es", apprezzavano *Dorian Gray* e *La saga dei Forsyte* e, naturalmente, erano pieni d'ammirazione per se stessi. Il padre di Frank era un ricco industriale ed essi si riunivano regolarmente a casa di quest'ultimo, dove avevano l'occasione di incontrare attori e attrici, un pittore che, di tanto in tanto, si recava a Parigi per far visita al "mio amico Pablo" e alcune dame dotate di ambizioni letterarie e di conoscenze in quell'ambiente. Lì avevano il permesso di fumare e chiamavano le attrici per nome.

Dopo aver unanimemente stabilito che la presenza di un von Hohenfels avrebbe recato vanto alla loro combriccola, lo avvicinarono, anche se con qualche trepidazione. Frank, che era il più sicuro dei tre, lo abbordò mentre usciva di classe e balbettò qualcosa sul "loro piccolo salotto", sulle letture di poesia, sul bisogno di difendersi dal *profanum vulgus*, soggiungendo che sarebbero stati onorati se avesse voluto entrare a far parte del loro *Litteraturbund*. Hohenfels, che non aveva mai sentito parlare del "Caviale", sorrise educatamente, disse che "al momento" era terribilmente occupato e se ne andò, lasciando i tre saccenti profondamente delusi.

3.

Non ricordo esattamente quando decisi che Konradin avrebbe dovuto diventare mio amico, ma non ebbi dubbi sul fatto che, prima o poi, lo sarebbe diventato. Fino al giorno del suo arrivo io non avevo avuto amici. Nella mia classe non c'era nessuno che potesse rispondere all'idea romantica che avevo dell'amicizia, nessuno che ammirassi davvero o che fosse in grado di comprendere il mio bisogno di fiducia, di lealtà e di abnegazione, nessuno per cui avrei dato volentieri la vita. I miei compagni mi sembravano tutti, chi più chi meno, piuttosto goffi, degli svevi sani, insignificanti, privi di immaginazione. Nemmeno gli appartenenti al "Caviale" facevano eccezione. Erano ragazzi simpatici e io andavo abbastanza d'accordo con tutti. Ma così come non ero animato da particolari simpatie nei confronti di nessuno, nemmeno loro sembravano attratti da me. Non andavo mai a casa loro né loro venivano mai a trovare me. Un altro motivo della mia freddezza, forse, era che avevano tutti una mentalità estremamente pratica e sapevano già cosa avrebbero fatto nella vita, chi l'avvocato, chi l'ufficiale, chi l'insegnante, chi il pastore, chi il banchiere. Io, invece, non avevo alcuna idea di ciò che sarei diventato, solo sogni vaghi e delle aspirazioni ancora più fumose. Volevo viaggiare, questo era certo, e un giorno sarei stato un grande poeta.

Ho esitato un po' prima di scrivere che "avrei dato volentieri la vita per un amico", ma anche ora, a trent'anni di distanza, sono convinto che non si trattasse di un'esagerazione e che non solo sarei stato pronto a morire per un amico, ma l'avrei fatto quasi con gioia. Così come davo per scontato che fosse *dulce et decorum pro Germania mori*, non avevo dubbi sul fatto che morire *pro amico* sarebbe stato lo stesso. I giovani tra i sedici e i diciotto anni uniscono in sé un'innocenza soffusa di ingenuità, una radiosa purezza di corpo e di spirito e il bisogno appassionato di una devozione totale e disinteressata. Si tratta di una fase di breve durata che, tuttavia, per la sua stessa intensità e unicità, costituisce una delle esperienze più preziose della vita.

4.

Tutto ciò che sapevo, allora, era che sarebbe diventato mio amico. Non c'era niente in lui che non mi piacesse. In primo luogo il suo nome glorioso che lo distingueva ai miei occhi da tutti gli altri, *von* compresi (così come la duchessa di Guermantes mi avrebbe attratto più di Madame Meunier). Poi il portamento fiero, i suoi modi, la sua eleganza, la bellezza del suo aspetto — e chi avrebbe potuto restare indifferente? — mi facevano pensare a buon diritto che avessi finalmente trovato qualcuno che corrispondeva all'ideale d'amico da me vagheggiato.

Il problema era come attirarlo a me. Cosa potevo offrire a quel ragazzo, lo stesso che aveva gentilmente, ma fermamente, rifiutato le profferte degli aristocratici e del Caviale? Cosa dovevo fare per conquistarlo, chiuso com'era dietro le barriere della tradizione, dell'orgoglio naturale e dell'altezzosità acquisita? Senza contare che sembrava perfettamente soddisfatto di starsene da solo e di non mescolarsi agli altri, che frequentava solo perché vi era costretto.

Come attirare la sua attenzione, come fargli capire che io ero diverso da quella folla opaca, come convincerlo che io e solo io avrei dovuto diventare suo amico, erano tutti quesiti di cui non conoscevo la risposta. L'unica cosa che avvertivo istintivamente era che avrei dovuto trovare il modo di farmi notare. Tutt'a un tratto cominciai ad interessarmi a quello che avveniva in classe. Di solito ero ben felice di essere lasciato in pace, a crogiolarmi nei miei sogni, senza che mi venissero sottoposti domande o problemi, in attesa che il suono della campana mi liberasse dalla schiavitù. Non c'era mai stata alcuna ragione perché dovessi far colpo sui miei compagni. Perché sforzarmi oltre il minimo necessario a passare gli esami, obbiettivo che, peraltro, non si presentava molto faticoso? Perché darmi da fare per impressionare gli insegnanti, quei vecchi stanchi e delusi, intenti a ripeterci di continuo *non scholae sed vitae discimus*, anche se a me sembrava che, nel loro caso, avvenisse il contrario?

Ma ora ero risvegliato alla vita. Alzavo la mano ogni volta che mi pareva di avere qualcosa da dire. Dissertavo su *Madame Bovary* e sull'esistenza di Omero, attaccavo Schiller, definivo Heine un poeta per commessi viaggiatori e Hölderlin il maggiore lirico tedesco, "più grande persino di Goethe". Ripensandoci, mi rendo conto di quanto fosse infantile quel mio atteggiamento, eppure riuscii a elettrizzare i professori attirandomi persino l'attenzione del Caviale. I risultati sorpresero persino me. I miei insegnanti, che avevano ormai rinunciato a ogni speranza, si avvidero tutt'a un tratto che i loro sforzi non erano stati vani e cominciarono a ricavare qualche soddisfazione dalla loro fatica. Si rivolsero a me con rinnovato ardore e con gioia commovente, quasi patetica. Mi chiesero di tradurre e di spiegare alcune scene del *Faust* e dell'*Amleto*, cosa che feci con vero piacere e, voglio credere, con una certa abilità. La mia seconda prodezza ebbe luogo durante le poche ore destinate all'educazione fisica. A quell'epoca — forse oggi le cose sono cambiate — i nostri insegnanti, al liceo Karl Alexander, ritenevano che lo sport costituisse un lusso. Inseguire una palla o colpirla, come si faceva in America o in Inghilterra, sembrava loro una terribile perdita di tempo prezioso, che poteva essere impiegato con maggior profitto per ampliare le proprie conoscenze. Le due ore alla settimana dedicate a fortificare il proprio corpo erano considerate perfettamente adeguate, se non più che sufficienti. Il professore di ginnastica era un ometto energico e chiassoso. Si chiamava Max Loher, meglio noto come Max Muscolo, e perseguiva con ardore disperato l'obiettivo di svilupparci il torace, le braccia e le gambe nel breve tempo a sua disposizione. Si serviva a questo scopo di tre strumenti di tortura di fama internazionale: la sbarra fissa, le parallele e il cavallo. La lezione iniziava immancabilmente con una corsa attorno alla palestra, seguita da una serie di flessioni e di distensioni. Dopo questa prima fase destinata al riscaldamento, Max Muscolo andava al suo strumento preferito, la sbarra fissa, e si esibiva in alcuni esercizi che, eseguiti da lui, sembravano facili come saltare alla corda, mentre alla prova dei fatti si rivelavano estremamente difficili. Di solito invitava i più agili ad emulare la sua esibizione e a volte capitava che anch'io fossi tra i designati, ma negli ultimi tempi aveva dimostrato una spiccata predilezione per Eisemann, che adorava mettersi in mostra e, comunque, aveva già dichiarato di voler intraprendere la carriera militare.

Questa volta, tuttavia, ero ben deciso a non lasciarmi scavalcare. Max Muscolo andò alla sbarra fissa, si mise sull'attenti, poi balzò in alto con eleganza e afferrò il sostegno stringendolo in una morsa d'acciaio. Con grande disinvoltura e estrema perizia, si sollevò lentamente fino ad appoggiare il corpo alla sbarra. Poi si voltò verso destra, tendendo le braccia aperte, tornò nella posizione di partenza, si voltò verso sinistra e di nuovo al centro. Tutt'a un tratto parve cadere; invece rimase appeso per le ginocchia, con le mani che quasi sfioravano il pavimento. Infine prese a oscillare, prima lentamente, poi sempre più in fretta, fino a ritrovare la posizione che aveva all'inizio dell'esercizio, dopo di che con un movimento rapido e perfetto si lanciò nel vuoto e atterrò, leggero come una piuma, sulla punta dei piedi. La sua bravura era tale da far sembrare facile l'esercizio, anche se esso richiedeva un controllo totale, uno straordinario equilibrio e una buona dose di coraggio. Possedevo in una certa misura le prime due qualità, ma non si poteva certo dire che fossi coraggioso. Spesso, all'ultimo momento, dubitavo di riuscire a farcela. Esitavo a lasciare la sbarra e, quando finalmente mi decidevo, non osavo neanche pensare che avrei potuto cavarmela quasi altrettanto bene di Max Muscolo. La differenza era la stessa che passa tra un funambolo capace di destreggiarsi con sei palle e chi invece è ben contento di riuscire a maneggiarne tre.

Questa volta, però, appena Max terminò la sua esibizione, mi feci avanti e lo fissai dritto negli occhi. Esitò qualche istante, poi disse: "Schwarz".

Mi avvicinai lentamente alla sbarra, mi misi sull'attenti e balzai in alto. Mi appoggiai, come lui, all'asta e mi guardai attorno. Sotto di me vidi Max, pronto a intervenire in caso di necessità. I miei compagni mi osservavano in silenzio. Rivolsi lo sguardo a Hohenfels e notai che mi teneva gli occhi addosso. Mi protesi prima verso sinistra, poi verso destra, poi mi lasciai penzolare tenendomi con le gambe piegate e presi ad oscillare finché, con un ultimo slancio, tornai ad appoggiarmi alla sbarra. La paura era sparita, sostituita da un unico pensiero: dovevo farlo per *lui*. Tutt'a un tratto mi sollevai in verticale, mi lanciai oltre la sbarra, e... bum!

Almeno ero tornato con i piedi per terra.

Si udirono delle risatine represse, ma poi qualcuno batté le mani. Dopotutto, non erano cattivi i miei compagni...

Rimasi immobile e voltai gli occhi verso di *lui*. Inutile dire che Konradin non aveva riso. Per la verità non aveva nemmeno applaudito. Ma mi guardava.

Qualche giorno dopo arrivai a scuola con alcune monete greche (collezionavo monete da quando avevo dodici anni). Avevo portato una dracma d'argento di Corinto, un gufo, simbolo di Pallade Atena, l'effigie di Alessandro il Grande e, appena vidi Konradin che si avvicinava al suo posto, feci mostra di esaminarle con la lente di ingrandimento. Konradin notò le mie manovre e la sua curiosità, come avevo sperato, la spuntò sulla sua riservatezza. Mi chiese il permesso di guardarle. Dal modo in cui le maneggiava, mi avvidi che non doveva essere del tutto inesperto. Le toccava come un collezionista tocca gli oggetti a lui cari e, del collezionista, aveva persino lo sguardo carezzevole e ammirato. Mi disse che anche lui collezionava monete e possedeva quella con il gufo, ma non l'altra con l'effigie di Alessandro il Grande. Ne aveva, invece, altre di cui ero privo.

A questo punto fummo interrotti dall'ingresso dell'insegnante ma, all'intervallo delle dieci, Konradin, dimentico delle monete, lasciò l'aula senza degnarmi di uno sguardo. Eppure mi sentivo felice. Era la prima volta che mi aveva rivolto la parola e io ero ben deciso a fare il possibile perché non fosse l'ultima.

5.

Tre giorni dopo, il quindici marzo — una data
che non dimenticherò più — stavo tornando a casa
da scuola. Era una sera primaverile, dolce e fresca.
I mandorli erano in fiore, i crochi avevano già fatto
la loro comparsa, nel cielo — un cielo nordico in cui
indugiava un tocco italiano — si mescolavano il blu
pastello e il verde mare. Davanti a me vidi Hohenfels; pareva esitare come se fosse in attesa di qualcuno. Rallentai — avevo paura di oltrepassarlo —
ma dovetti comunque proseguire perché sarebbe stato ridicolo non farlo e lui avrebbe potuto fraintendere la mia indecisione. L'avevo quasi raggiunto,
quando si voltò e mi sorrise. Poi con un gesto stra-
namente goffo ed impreciso, mi strinse la mano tremante. "Ciao, Hans," mi disse e io all'improvviso mi
resi conto con un misto di gioia, sollievo e stupore
che era timido come me e, come me, bisognoso di
amicizia. Non ricordo più ciò che mi disse quel giorno, né quello che gli dissi io. Tutto quello che so è
che, per un'ora, camminammo avanti e indietro come

due giovani innamorati, ancora nervosi, ancora inti-
miditi. E tuttavia io sentivo che quello era solo l'inizio e che da allora in poi la mia vita non sarebbe più
stata vuota e triste, ma ricca e piena di speranza per
entrambi.

Quando infine lo lasciai, percorsi in un batter
d'occhio la strada che mi separava da casa. Ridevo,
parlavo da solo, avevo voglia di piangere, di cantare
e trovai ben difficile non rivelare ai miei genitori la
mia felicità, non dire loro che la mia vita era cam-
biata, che non ero più un mendicante, ma tutt'a un
tratto ero diventato una specie di Creso. Per fortuna
i miei genitori erano troppo occupati da altro per
notare il cambiamento. Ormai erano avvezzi alle mie
espressioni cupe e annoiate, alle mie risposte evasi-
ve e ai miei silenzi prolungati, che attribuivano alla
crescita e alla misteriosa transizione dall'adolescenza
all'età adulta. Di tanto in tanto mia madre aveva cercato di far breccia nelle mie difese, qualche volta
aveva cercato di accarezzarmi i capelli, ma vi aveva
rinunciato da tempo, scoraggiata dall'ostinazione con
cui respingevo i suoi approcci.

L'incontro non fu senza conseguenze. Dormii
male, perché temevo il momento del risveglio. Forse Konradin mi aveva già dimenticato o si era pen-
tito della sua resa. Forse era stato un errore fargli
capire che avevo bisogno della sua amicizia. Forse
avrei dovuto mostrarmi più cauto, più riservato. Forse aveva parlato di me ai suoi genitori che l'avevano
messo in guardia dal diventare amico di un ebreo.
Continuai a torturarmi per un pezzo finché sprofon-
dai in un sonno inquieto.

6.

Tutte le mie paure si rivelarono prive di fondamento. Appena entrai in classe Konradin mi si avvicinò e si mise a sedere vicino a me. Il suo piacere nel vedermi era così genuino, così evidente che io stesso, nonostante la mia diffidenza innata, persi ogni paura. Dalle sue parole dedussi che doveva aver dormito benissimo e che nemmeno per un attimo aveva dubitato della mia sincerità, tanto che mi vergognai dei miei sospetti.

Da quel giorno fummo inseparabili. All'uscita della scuola tornavamo a casa insieme — abitavamo nella stessa direzione — e ogni mattina lo trovavo immancabilmente ad aspettarmi. All'inizio i nostri compagni rimasero stupiti, ma in seguito presero sul serio la nostra amicizia, salvo Bollacher, che ci soprannominò "Castore e Pollack" e i membri del Caviale che decisero di metterci al bando.

I mesi che seguirono furono i più felici di tutta la mia vita. Con l'arrivo della primavera, la campagna si riempì di fiori, fiori di ciliegio e di melo, di pero e di pesco, mentre i pioppi si tingevano d'argento e sui salici spuntavano le foglie giallo limone. I colli azzurrini di Svevia, così dolci e sereni, erano coperti di vigneti e di orti, e incoronati dai castelli: piccole città medioevali con il municipio dal tetto spiovente, e le fontane in cima alle quali, sorretti da pilastri e circondati da mostri vomitanti acqua, si ergevano duchi e conti baffuti che portavano nomi come Eberardo il Beneamato o Ulrico il Terribile, figure comiche dall'atteggiamento rigido e dall'armatura pesante. Il Neckar scorreva lento attorno alle isole verdeggianti. Dal paesaggio emanava un senso di pace, di fiducia nel presente e di speranza nel futuro.

Il sabato Konradin e io prendevamo un accelerato per andare a passare la notte in una delle antiche locande rivestite in legno che abbondavano da quelle parti, dove, per una cifra modica, si trovavano camere pulite, ottimo cibo e vino locale. A volte andavamo nella Foresta Nera, dove i boschi scuri, odorosi di funghi e di resina, che colava dai tronchi in lacrime ambrate, erano intersecati da torrenti ricchi di trote, sulle cui rive sorgevano le segherie. Di tanto in tanto ci spingevamo fin sulla cima delle colline da cui, nell'azzurrina lontananza, il nostro sguardo abbracciava la valle del rapido Reno, le sagome color lavanda dei Vosgi e le guglie della cattedrale di Strasburgo. Altre volte era il Neckar a tentarci con i suoi

Venti leggeri, araldi dell'Italia
E tu con i tuoi pioppi, fiume amato

o il Danubio con i suoi

> Molti alberi, dai fiori bianchi, rosati o ancor
>   più scuri,
> Piante selvagge, cariche di foglie verde scuro.

A volte sceglievamo l'Hegau, dove c'erano sette vulcani estinti, o il lago di Costanza, immerso in una atmosfera di sogno. Un giorno arrivammo fino a Hohenstaufen, a Teck e a Hohenfels. Non era rimasta nemmeno una pietra di quelle fortezze, neanche una traccia a indicare il cammino seguito dai Crociati, diretti a Bisanzio e a Gerusalemme. Poco lontano si trovava Tübingen, dove Hölderlin-Hyperion, il nostro poeta preferito, aveva trascorso trentasei anni della sua vita nelle spire della follia, *entrückt von den Göttern*, rapito dagli Dei. Fissando lo sguardo sulla torre che era stata la sua casa, la sua dolce prigione, recitavamo la nostra poesia preferita:

> Carica di pere gialle
> E di rose selvatiche coperta
> La terra si specchia nel lago.
> Voi dolci cigni,
> Ubriachi di baci
> Tuffate il capo
> Nell'acqua sacra, sobria.

> Ahimè, dove potrò trovare
> I fiori nell'inverno
> Dove del sol la luce
> E della terra l'ombra?
> Le pareti si ergono
> Mute e fredde, nell'inverno
> Bandierine di ghiaccio tintinnano.

7

Passarono i giorni e i mesi, e niente venne a turbare la nostra amicizia. Dall'esterno del nostro cerchio magico provenivano voci di sovvertimenti politici, ma l'occhio del tifone era lontano: a Berlino, dove, a quanto si diceva, si erano verificati scontri tra nazisti e comunisti. Stoccarda continuava ad essere la città tranquilla e ragionevole di sempre. Per la verità, anche lì avvenivano di tanto in tanto degli incidenti, ma non erano che episodi di poco conto. Sui muri erano comparse delle svastiche, un ebreo era stato molestato, alcuni comunisti percossi, ma in generale la vita proseguiva come al solito. Gli *Höhenrestaurants*, il Teatro dell'Opera e i caffè all'aperto erano sempre gremiti. Faceva caldo, i vigneti erano coperti di grappoli e i rami dei meli si piegavano sotto il peso dei frutti in via di maturazione. La gente parlava delle località dove si sarebbe recata a trascorrere le vacanze estive; in casa mia si accennava all'eventualità di un viaggio in Svizzera e Konradin avrebbe raggiunto i suoi genitori in Sicilia. Insomma, tutto lasciava pensare che non ci fosse nulla di cui preoccuparsi. La politica riguardava gli adulti; noi avevamo già i nostri problemi. E quello che ci pareva più urgente era imparare a fare il miglior uso possibile della vita, oltre, naturalmente, a cercare di scoprire quale scopo avesse, se l'aveva, e a chiederci quale potesse essere la condizione umana in questo cosmo spaventoso e incommensurabile. Questi sì che erano veri dilemmi, quesiti di valore eterno, assai più importanti per noi dell'esistenza di due personaggi ridicoli ed effimeri come Hitler e Mussolini.

Poi accadde qualcosa che ci turbò entrambi ed ebbe su di me forti ripercussioni.

Fino a quel giorno avevo dato per scontata l'esistenza di un Dio onnipotente e benevolo, creatore dell'universo. Mio padre non mi aveva mai parlato di religione, lasciandomi libero di scegliere ciò in cui volevo credere. Una volta l'avevo sentito dire a mia madre che, nonostante l'assenza di prove storiche, era certo che un Gesù fosse realmente vissuto, un maestro di morale ebreo di grande saggezza e gentilezza, un profeta simile a Geremia o Ezechiele, ma, aveva soggiunto, non riusciva assolutamente a capire come fosse possibile considerarlo "figlio di Dio". Trovava blasfema e ripugnante l'idea di un Dio onnipotente che guardava suo figlio morire di una morte lenta e atroce sulla croce, un padre divino che, al contrario di qualsiasi padre umano, non aveva sentito l'impulso di accorrere in soccorso del figlio.

Eppure, nonostante mio padre non credesse alla divinità del Cristo, penso che fosse più agnostico che ateo e che, se io avessi voluto convertirmi al cristianesimo, non avrebbe mosso obiezioni, come non ne avrebbe avute, d'altra parte, se avessi deciso di diventare buddista. Ero sicuro, invece, che avrebbe fatto di tutto per impedirmi di prendere i voti, indipendentemente dal tipo di confessione, perché riteneva che la vita monastica e contemplativa fosse irrazionale e sprecata.

Quanto a mia madre, sembrava muoversi in uno stato confusionale di cui, peraltro, era assolutamente soddisfatta. Andava alla sinagoga il giorno dello Yom Kippur, ma cantava *Stille Nacht, Heilige Nacht* a Natale. Dava un contributo in denaro all'organizzazione ebraica che si occupava di assistere i bambini ebrei in Polonia e sovvenzionava i cristiani per favorire le conversioni degli ebrei al cristianesimo. Quando ero bambino mi aveva insegnato qualche semplice preghiera in cui invocavo Dio perché mi aiutasse e proteggesse il babbo, la mamma e il nostro gatto. Ma era tutto qui. Sembrava che, come mio padre, non avesse alcun bisogno della religione, ma in compenso era attiva, buona e generosa e soprattutto convinta che io, suo figlio, avrei seguito l'esempio dei miei genitori. E così ero cresciuto tra ebrei e cristiani, abbandonato a me stesso e alle mie idee, senza avere né una profonda convinzione né seri dubbi sull'esistenza di un essere superiore e benevolo, sul fatto che il nostro pianeta fosse il centro dell'universo e che gli uomini, ebrei o gentili che fossero, erano i figli prediletti di Dio.

Ora i nostri vicini, i signori Bauer, avevano due figlie, una di quattro e l'altra di sette anni, oltre a un figlio dodicenne. Non li conoscevo bene — era-

no tutti troppo giovani per me — ma ero spesso
rimasto ad osservarli con una certa invidia quando
giocavano insieme ai loro genitori in giardino. Rive-
do con chiarezza il padre che spingeva una delle bambine sull'altalena, in alto, sempre più in alto; il bianco dell'abito e il rosso dei capelli, che oscillavano
rapidi tra le tenere foglie verde chiaro dei meli, la
facevano sembrare una candela accesa.

Una sera, mentre i genitori erano usciti e la cameriera era andata a fare una commissione, dalla
casa di legno si levarono le fiamme e l'incendio di-
vampò con tale rapidità che, all'arrivo dei pompieri,
i bambini erano già morti bruciati. Non vidi il fuoco
né udii le grida della madre e della cameriera, ma
appresi la notizia il giorno dopo, quando i miei occhi si posarono sui muri anneriti, sulle bambole car-
bonizzate e sulle funi bruciacchiate dell'altalena, che
dondolavano come serpenti dall'albero accartocciato.
Ne rimasi sconvolto, come mai prima di allora.

Avevo sentito parlare di terremoti nei quali erano state inghiottite migliaia di persone, di fiumi di
lava incandescenti che avevano travolto interi villag-
gi, di onde gigantesche che avevano spazzato via le
isole. Avevo letto che un milione di persone erano
annegate durante l'inondazione del Fiume Giallo e
altri due in quella dello Yangtse. Sapevo che a Verdun avevano perso la vita un milione di soldati. Ma
non erano che astrazioni, numeri privi di significato,
dati statistici, notizie. Non si può soffrire per un
milione di morti.

Quei tre bambini, invece, li avevo conosciuti, li
avevo visti con i miei occhi e questo cambiava radi-

calmente le cose. Cosa avevano fatto loro, quale male avevano commesso i genitori per meritare tutto ciò?

Non restavano che due alternative: o Dio non c'era o esisteva una divinità che era mostruosa nel caso fosse stata potente e inutile se non lo era. Una volta per tutte rinunciai a credere a un essere superiore che guardava l'uomo con occhio benevolo.

Comunicai queste mie riflessioni in termini disperati e appassionati al mio amico, il quale, essendo stato educato nella stretta fede protestante, si rifiutò di accettare quella che, a parer mio, era l'unica conclusione logica, e cioè che non esisteva alcun padre divino oppure che, nel caso fosse esistito, era del tutto indifferente al destino dell'umanità ed era quindi inutile quanto qualsiasi dio pagano. Konradin ammise che la morte dei bambini era una disgrazia terribile e che lui stesso non riusciva a spiegarsela. Ma una risposta doveva esserci, insisteva, anche se noi eravamo troppo giovani e inesperti per trovarla. Catastrofi del genere erano sempre successe e uomini ben più saggi e intelligenti di noi — sacerdoti, vescovi, santi — ne avevano discusso ed erano riusciti a dare delle spiegazioni. Dovevamo accettare la loro superiorità e sottometterci umilmente al loro giudizio.

Rifiutai energicamente tutte queste argomentazioni, dicendogli che non mi importava delle conclusioni a cui erano giunti quei vecchi impostori e che niente, assolutamente niente, poteva spiegare o scusare la morte atroce di due bambine e di un ragazzino. "Non li vedi bruciare?" gridai disperato. "Non senti le loro urla? E hai ancora il coraggio di giustificare l'accaduto perché sei troppo pavido per vivere senza il tuo Dio? Cosa ci può servire un Dio privo di potere e di pietà? Un Dio che se ne sta nel suo paradiso e tollera la malaria e il colera, la carestia e le guerre? "

Konradin obiettò che, personalmente, non era in grado di dare alcuna spiegazione razionale a questi fatti, ma che ne avrebbe parlato al suo pastore e, alcuni giorni dopo, tornò pienamente rassicurato. Le mie parole non erano state che lo sfogo di un ragazzo immaturo e privo d'esperienza. Il pastore, oltre a rispondere alle sue domande in modo completo e pienamente soddisfacente, gli aveva consigliato di non prestare orecchio a simili discorsi blasfemi.

E tuttavia, o il suo mentore non si era spiegato con sufficiente chiarezza o Konradin non aveva capito appieno la spiegazione, fatto sta che non riuscì a rendermela comprensibile. Si dilungò sul male, dicendo che era indispensabile per poter apprezzare il bene, così come, senza la bruttezza, non sarebbe esistita la bellezza, ma non riuscì a convincermi. Le nostre discussioni, quindi, sfociavano immancabilmente in un vicolo cieco.

Si dava il caso che, proprio in quel periodo, mi fossi messo a leggere per la prima volta dei libri che parlavano di anni luce, di nebulose, di galassie, di soli infinitamente più grandi del nostro, di stelle, così numerose che era impossibile contarle, di pianeti le cui dimensioni superavano di molto quelle di Marte e di Venere, di Giove e di Saturno. Per la prima volta mi resi conto della mia infinita piccolezza e del fatto che la nostra terra non era altro che un sassolino su una spiaggia dove, di sassolini, ne esistevano a milioni. Tutto questo portò nuova acqua al mio mulino. Servì a rafforzare la mia convinzione che Dio non esistesse; come avrebbe potuto badare, infatti, a quello che succedeva in tanti corpi celesti? Questa nuova scoperta, unita all'impressione suscitata in me dalla morte dei bambini, mi portò da un periodo di totale disperazione a uno di intensa curiosità. Ora il problema fondamentale non era più la natura della vita, ma ciò che di questa vita, priva di valore e al tempo stesso preziosa, dovevamo fare. Come impiegarla? A che fine? E per il bene di chi, il nostro o quello dell'umanità? Com'era possibile, insomma, mettere a buon frutto quella brutta realtà che era l'esistere?

Ne discutevamo quasi quotidianamente, mentre passeggiavamo con aria solenne in su e in giù per le strade di Stoccarda, levando spesso lo sguardo al cielo, verso Betelgeuse o Aldebaran, che ci fissavano di rimando con i loro occhi serpigni, gelidi, luccicanti, ironici e, soprattutto, distanti milioni di anni luce.

Ma questo non era che uno degli argomenti di cui amavamo parlare. Avevamo anche interessi profani, che ci sembravano ben più importanti dell'estinzione del nostro pianeta, lontana milioni di anni, e della nostra morte, per noi ancor più remota. C'era l'amore comune per i libri e la poesia, la scoperta dell'arte, l'impatto del post-impressionismo e dell'espressionismo, il teatro, l'opera.

Parlavamo anche delle ragazze. Rispetto all'atteggiamento disincantato dei giovani d'oggi, il nostro comportamento era incredibilmente ingenuo. Le ragazze erano per noi esseri superiori di straordinaria purezza, a cui bisognava accostarsi come, in passato, avevano fatto i trovatori, con ardore cavalleresco e adorazione distante.

Le ragazze che conoscevo erano ben poche. A casa nostra vedevo di tanto in tanto due cugine che avevano più o meno la mia età, due creature spente, prive di qualsiasi somiglianza con Andromeda o Antigone. Le ricordo solo perché una si rimpinzava senza sosta di torta al cioccolato, mentre l'altra diventava improvvisamente muta al solo vedermi. Konradin era più fortunato. Le ragazze che incontrava avevano nomi eccitanti; si chiamavano, infatti, contessa von Platow, baronessa von Henkel Donnersmark, oltre a una certa Jeanne de Montmorency che, a quanto lui stesso mi confessò, gli era apparsa più di una volta in sogno.

Era un argomento, quello, di cui a scuola non si parlava mai. Così ci sembrava, almeno, anche se a nostra insaputa avrebbero potuto avvenire molte cose visto che noi due, al pari dei membri del Caviale, facevamo vita a parte. Eppure, ripensandoci, sono ancora convinto che la maggior parte dei ragazzi, compreso quelli che si vantavano delle loro avventure, erano piuttosto impauriti dalle loro coetanee. La televisione, che avrebbe introdotto il sesso nelle famiglie, era ancora di là da venire.

Non voglio con questo affermare i meriti della nostra innocenza, che mi limito a citare come uno degli aspetti della nostra amicizia. L'unica ragione che mi induce a rievocare gli interessi, le gioie, i dolori che condividevamo è il tentativo di comunicare quale fosse la nostra vita interiore.

Quanto ai problemi che ci assillavano, cercavamo di risolverli da soli, senza l'aiuto degli altri. Non ci venne mai in mente di rivolgerci ai nostri genitori. Appartenevano a un altro mondo — ne eravamo certi — e non ci avrebbero capito o si sarebbero rifiutati di prenderci sul serio. Di loro non parlavamo mai: ci sembravano lontani come le nebulose, troppo grandi e troppo cristallizzati in convenzioni di un tipo o dell'altro. Konradin sapeva che mio padre faceva il medico, così come io ero al corrente del fatto che il suo era stato ambasciatore in Turchia e in Brasile, ma la nostra curiosità finiva qui ed era forse per questo che nessuno dei due era mai stato a far visita all'altro. Le nostre interminabili discussioni avvenivano per la strada, sulle panchine, o negli androni dove andavamo a rifugiarci quando pioveva.

Un giorno, mentre eravamo davanti a casa mia, mi venne in mente che Konradin non aveva mai visto la mia stanza, con i miei libri e le mie varie collezioni, e quindi, sotto l'impulso del momento, gli dissi: "Perché non entri con me?"

L'invito lo colse inatteso. Ebbe un attimo di esitazione, ma poi mi seguì all'interno.

8.

La casa dei miei genitori, una villa modesta costruita in pietra locale, si ergeva in un giardinetto pieno di ciliegi e di meli nella zona definita *die Höhenlage*. Era lì che abitava la borghesia ricca o benestante di Stoccarda, una delle città più belle e prospere della Germania. Circondata da colline e da vigneti, si stende in una valle così stretta che solo poche strade sono state costruite in piano; la maggior parte si inerpica sulle colline appena lasciata la Königstrasse, la via principale. La vista che si offre allo sguardo dall'alto dei rilievi circostanti è di grande bellezza: migliaia di ville, il vecchio e il nuovo *Schloss*, la Stiftskirche, l'Opera, i musei e quelli che un tempo erano i parchi reali. Ovunque un'infinità di *Höhenrestaurants*, sulle cui ampie terrazze la gente di Stoccarda soleva trascorrere le calde sere d'estate, bevendo vino del Neckar o del Reno e ingozzandosi di enormi quantità di cibo: insalate di carne e patate, *Schnitzel Holstein*, *Bodenseefelchen*, trote della Foresta Nera, salsicce calde di fegato e sanguinaccio con i crauti, *Rehrücken* con *Preiselbeeren*, tournedos in salsa bernese e Dio sa cos'altro, il tutto seguito da una straordinaria scelta di torte farcite, guarnite di panna montata. Se i cittadini di Stoccarda si fossero dati la pena di alzare gli occhi dal piatto, avrebbero visto, tra gli alberi e i cespugli di alloro, la foresta che si stendeva per chilometri e chilometri e il Neckar che scorreva lento tra i dirupi, i castelli, i pioppeti, le vigne e le antiche città, verso Heidelberg, il Reno e il Mare del Nord. All'imbrunire il panorama aveva la stessa magia di quello che si gode da Fiesole: migliaia di luci, l'aria calda e pervasa dal profumo dei gelsomini e dei lillà e, da ogni parte, le voci, i canti e le risa allegre della gente, resa sonnolenta dal lauto pasto o incline agli approcci amorosi dalle troppe libagioni.

Giù in basso, nella città afosa, le strade portavano nomi che ricordavano agli svevi il loro ricco retaggio: Hölderlin, Schiller, Möricke, Uhland, Wieland, Hegel, Schelling, David Friedrich Strauss, Hesse, confermandoli nella loro convinzione che la vita, fuori dal Württemberg, non valesse la pena di essere vissuta e che nessun bavarese, sassone o, meno che mai, prussiano, fosse degno di lustrar loro le scarpe. Per la verità questo orgoglio non era del tutto ingiustificato. Nonostante la sua popolazione non superasse il mezzo milione di abitanti, Stoccarda aveva più spettacoli d'opera, teatri migliori, musei più belli, collezioni più ricche e, nel complesso, una vita più piena che Manchester o Birmingham, Bordeaux o Tolosa. Anche se ormai priva di re, era pur sempre una capitale, cui facevano ala piccole città prospere

e castelli dai nomi come Sanssouci e Monrepos e,
non lontano, Hohenstaufen e Teck e Hohenzollern
e la Foresta Nera, e il lago di Costanza, i monasteri
di Maulbronn e Beuron, le chiese barocche di Zwie-
falten, Neresheim e Birnau.

9

Dalla nostra casa si vedevano solo i giardini e i tetti rossi delle ville i cui proprietari, più abbienti di noi, si erano potuti permettere un panorama, ma mio padre era sicuro che prima o poi anche la nostra famiglia non avrebbe avuto niente da invidiare a quelle patrizie. Nel frattempo dovevamo accontentarci di una dimora fornita di riscaldamento centrale, quattro camere da letto, sala da pranzo, "giardino d'inverno" e una stanza in cui papà riceveva i suoi pazienti.

La mia camera, al secondo piano, era stata arredata in ossequio ai miei desideri. Alle pareti erano appese alcune riproduzioni: il *Ragazzo con il gilet rosso* di Cézanne, qualche stampa giapponese e i *Girasoli* di Van Gogh. E poi i libri: i classici tedeschi, Schiller, Kleist, Goethe, Hölderlin e, naturalmente, il "nostro" Shakespeare, oltre a Rilke, Dehmel e George. La mia raccolta di opere francesi comprendeva Baudelaire, Balzac, Flaubert e Stendhal, mentre tra i russi figuravano le opere complete di

Dostoievskij, Tolstoi e Gogol. In un angolo c'era una vetrina contenente le mie collezioni: monete, coralli di un rosso rosato, ematiti e agate, topazi, granati, malachite, oltre a un blocco di lava prelevato da Ercolano, al dente di un leone, a un artiglio di tigre, a un brandello di pelle di foca, a una fibula romana, a due frammenti di vetro romani (rubati in un museo), a una piastrella ugualmente romana che recava l'iscrizione LEG XI e al molare di un elefante.

Era il mio mondo, un mondo in cui mi sentivo totalmente al sicuro e che, ne ero certo, sarebbe durato in eterno. D'accordo, non potevo far risalire le mie origini al Barbarossa, ma quale ebreo avrebbe potuto? E tuttavia sapevo che gli Schwarz vivevano a Stoccarda da almeno duecento anni, se non di più. Come precisarlo, visto che non esistevano archivi? Come appurare il luogo da cui erano venuti? Era Kiev o Wilna, Toledo o Valladolid? In quali tombe derelitte tra Gerusalemme e Roma, Bisanzio e Colonia, si stavano consumando le loro ossa? Chi poteva escludere che fossero arrivati lì prima degli Hohenfels? Ma tutte queste domande erano irrilevanti come la canzone che Davide aveva cantato al re Saul. Per me niente aveva importanza oltre al fatto che quello era il *mio* paese, la *mia* patria, senza inizio né fine, e che essere ebreo non era in fondo diverso che nascere con i capelli neri piuttosto che rossi. Eravamo prima di tutto svevi, poi tedeschi e infine ebrei. Perché mai avremmo dovuto pensarla diversamente, sia io che mio padre o mio nonno? Non avevamo niente a che fare con quei poveri "Pollacken" che erano stati perseguitati dallo zar.

Certo, non potevamo negare che eravamo di "origine ebraica", né ci interessava farlo, così come nessuno si sarebbe mai sognato di sostenere che lo zio Henri, che non vedevamo da dieci anni, non faceva più parte della famiglia. Ma questo nostro essere di "origine ebraica" non aveva altre implicazioni oltre al fatto che una volta all'anno, e precisamente il giorno del Yom Kippur, mia madre andava alla sinagoga e mio padre si asteneva dal fumo e dai viaggi, non perché fosse un credente convinto, ma perché non voleva urtare i sentimenti altrui.

Ricordo ancora un'accanita discussione tra mio padre e un sionista incaricato di raccogliere fondi per Israele. Mio padre detestava il sionismo, che giudicava pura follia. La pretesa di riprendersi la Palestina dopo duemila anni gli sembrava altrettanto insensata che se gli italiani avessero accampato dei diritti sulla Germania perché un tempo era stata occupata dai romani. Era un proposito che avrebbe provocato solo immani spargimenti di sangue, perché gli ebrei si sarebbero scontrati con tutto il mondo arabo. E comunque cosa c'entrava lui, che era nato e vissuto a Stoccarda, con Gerusalemme?

Quando il sionista accennò ad Hitler, chiedendogli se il nazismo non gli facesse paura, mio padre rispose: "Per niente. Conosco la mia Germania. Non è che una malattia passeggera, qualcosa di simile al morbillo, che passerà non appena la situazione economica accennerà a migliorare. Lei crede sul serio che i compatrioti di Goethe e di Schiller, di Kant e di Beethoven si lasceranno abbindolare da queste sciocchezze? Come osa offendere la memoria dei do-

dicimila ebrei che hanno dato la vita per questo paese? *Für unsere Heimat?*"

A questo punto il sionista accusò mio padre di
essere un "prodotto tipico dell'assimilazione", al che
mio padre rispose in tono orgoglioso: "Sì, è vero.
E cosa c'è di male? Io voglio identificarmi con la
Germania e sarei uno dei più accaniti sostenitori
dell'integrazione completa degli ebrei se fossi sicuro
che questo potesse costituire un vantaggio stabile
per il nostro paese. A tutt'ora, invece, sono convinto
che gli ebrei, evitando di integrarsi completamente,
agiscano da catalizzatori, arricchendo e stimolando
la cultura tedesca come hanno sempre fatto in passato."

Era troppo per il sionista che, battendosi la fronte con l'indice della mano destra, esplose gridando:
"Lei è completamente *meschugge*".[1] Poi raccolse le
sue carte e sparì, continuando a prodursi nel gesto
di prima.

Non avevo mai visto mio padre, abitualmente un
uomo tranquillo e pacifico, così furioso. Ai suoi occhi
quell'uomo era un traditore della Germania, il paese per cui lui, che era stato ferito due volte durante
la prima guerra mondiale, sarebbe stato disposto a
combattere ancora.

---

[1] Termine yiddish che significa "svitato". [*N.d.T.*]

10

Capivo bene mio padre, e ancora lo capisco. Come era possibile che un uomo del ventesimo secolo credesse nel Diavolo o nell'Inferno? O negli spiriti maligni? Perché mai dovevamo scambiare il Reno e la Mosella, il Neckar e il Meno con le acque pigre del Giordano? Per lui i nazisti non erano altro che una malattia della pelle manifestatasi in un corpo sano e, per curarla, sarebbe stato sufficiente praticare qualche iniezione, tenere il paziente tranquillo e lasciare che la natura facesse il suo corso. Perché mai avrebbe dovuto preoccuparsi, d'altra parte? Non era forse un medico noto, rispettato sia dagli ebrei che dai gentili? E il giorno del suo quarantacinquesimo compleanno non si era presentata a rendergli omaggio una delegazione di eminenti cittadini, guidata dal sindaco in persona? La sua fotografia era stata pubblicata dalla *Stuttgarter Zeitung* e un gruppo di gentili aveva eseguito per lui *Eine kleine Nachtmusik*. Senza contare che possedeva un talismano infallibile: a capo del suo letto, infatti, erano appese la Croce di Ferro di prima classe e la spada da uffi- ciale, accanto a un quadro che rappresentava la casa di Goethe, a Weimar.

11

Mia madre aveva troppo da fare per preoccuparsi dei nazisti, dei comunisti o di altra gente di quella risma e se mio padre non aveva dubbi sulla sua germanicità, mia madre ne aveva ancora meno. Non le veniva neanche in mente che un essere umano dotato di buon senso potesse mettere in discussione il suo diritto di vivere e morire in quel paese. Veniva da Norimberga, dove era nato anche suo padre, avvocato, e parlava ancora tedesco con l'accento della Franconia (diceva *Gäbelche*, forchettina, al posto di *Gäbele* e *Wägelche*, carrozzino, invece di *Wägele*). Una volta alla settimana si trovava con le amiche, per la maggior parte mogli di medici, avvocati e banchieri, per mangiare pasticcini alla crema e al cioccolato *mit Schlagsahne*, bere innumerevoli caffè *mit Schlagsahne* e spettegolare sulle servitù, le rispettive famiglie e gli spettacoli che avevano visto. Una volta ogni quindici giorni andava all'Opera e una volta al mese a teatro. Di rado trovava il tempo per leggere, ma di tanto in tanto veniva in camera mia, guardava con nostalgia i miei libri, ne toglieva uno o due dallo scaffale, li spolverava e li rimetteva a posto. Poi mi chiedeva come andava la scuola, ottenendone in cambio un immancabile "benissimo", borbottato con voce brusca, e infine mi lasciava, portando con sé gli eventuali calzini da rammendare o le scarpe da risuolare. A volte, con gesto impacciato, mi appoggiava la mano sulla spalla, ma ormai lo faceva sempre più sporadicamente, avvertendo la mia resistenza persino nei confronti di espansioni così modeste. Solo quando ero malato riuscivo ad accettare la sua compagnia e mi arrendevo con riconoscenza alla sua tenerezza repressa.

12.

Penso che i miei genitori, dal punto di vista fisico, fossero due esemplari umani piuttosto notevoli. Con la sua fronte alta, i capelli grigi e i baffi tagliati corti, mio padre aveva un'aria distinta e un aspetto così poco ebreo che un giorno un S.A., incontrandolo su un treno, lo invitò ad iscriversi al partito nazista. E persino io, nonostante le mie resistenze filiali, non potevo fare a meno di notare che mia madre, a dispetto della semplicità del vestire, era una bella donna. Non dimenticherò mai la sera in cui — avevo sei o sette anni — entrò in camera mia per darmi il bacio della buona notte. Indossava un abito da ballo e io la fissai come se fosse stata un'estranea. Mi aggrappai al suo braccio, rifiutandomi di lasciarla andare, e cominciai a piangere, cosa che la turbò molto. Chissà se capì che non ero né infelice né malato ma che, per la prima volta nella vita, la vedevo obiettivamente com'era: una donna attraente con un'individualità tutta sua.

Quando Konradin entrò, lo guidai verso la scala

con l'intenzione di condurlo direttamente in camera
mia, senza presentarlo prima a mia madre. Al momento non avrei saputo dire perché mi comportassi
così, ma oggi mi è più facile spiegare perché avessi
tentato di introdurlo in casa surrettiziamente. Sentivo che apparteneva a me e a me solo e non volevo di-
viderlo con altri. E forse — ne arrossisco ancora oggi — avevo l'impressione che i miei non fossero abbastanza "importanti" per lui. Non mi ero mai ver-
gognato di loro, anzi, me ne ero sempre sentito piuttosto orgoglioso, ma ora scoprivo con ripugnanza
che, a causa di Konradin, mi comportavo come un
piccolo snob idiota. Per un istante provai una certa
ostilità nei suoi confronti, attribuendogli la respon-
sabilità del mio atteggiamento. Era la sua presenza
che mi faceva provare quei sentimenti e, se disprezzavo i miei genitori, disprezzavo ancor più me stesso.
Ma nell'attimo stesso in cui mi accingevo a salire,
mia madre, che doveva aver sentito il rumore dei
miei passi, mi chiamò. Ero in trappola. Avrei dovuto presentarle il mio amico.

Lo portai nel soggiorno, con il tappeto persiano,
i pesanti mobili di quercia, i piatti azzurri in porcel-
lana di Meissen e i calici rossi e blu dal lungo stelo,
in bella mostra su una credenza. Mia madre era se-
duta nel "giardino d'inverno" sotto un albero della
gomma, intenta a rammendare un paio di calzini, e
non parve affatto sorpresa di vedermi in compagnia
di un amico. Quando annunciai: "Mamma, questo è
Konradin von Hohenfels," alzò gli occhi per un istante, sorrise e gli porse la mano, che egli baciò. Poi gli
fece qualche domanda, essenzialmente sulla scuola,

sui suoi progetti futuri, sull'università che intendeva frequentare, e infine gli disse che era molto contenta di vederlo in casa nostra. Si comportò, insomma, come meglio non avrei potuto sperare e io mi accorsi che Konradin era rimasto affascinato. In seguito lo condussi in camera mia, dove esibii tutti i miei tesori: i libri, le monete, la fibula romana e la piastrella con l'iscrizione LEG XI.

Tutt'a un tratto udii i passi di mio padre e, dopo un attimo, lo vidi entrare in camera, cosa che non faceva più da mesi. Senza lasciarmi il tempo di fare le presentazioni, mio padre batté i tacchi, si raddrizzò, mettendosi quasi sull'attenti, tese il braccio destro e proclamò: "*Gestatten, Doktor Schwarz.*" Konradin gli strinse la mano, si piegò in un inchino appena accennato, ma rimase muto. "Sono molto onorato, signor conte, di avere sotto il mio tetto il rampollo di una famiglia tanto illustre," proseguì mio padre. "Non ho mai avuto il piacere di incontrare suo padre, ma ho conosciuto molti amici suoi, in particolare il barone von Klumpf, comandante del secondo squadrone del primo reggimento Ulani, Ritter von Trompeda, che prestava servizio negli Ussari e Putzi von Grimmelshausen, noto come 'Bautz'. Il suo signor padre le avrà sicuramente parlato di Bautz, che era un amico intimo del *Kronprinz*. Un giorno, così mi raccontò Bautz, Sua Altezza Imperiale, il cui quartier generale si trovava allora a Charleroi, lo chiamò e gli disse: 'Bautz, amico mio, ho un grande favore da chiederti. Tu sai che Gretel, la mia scimpanzè, è ancora vergine e ha un gran bisogno di trovar marito. Voglio unirla in matrimonio e ho deciso che inviterò alla festa gli ufficiali. Ti prego quindi di montare in macchina e di girare per tutta la Germania finché non avrai trovato un bel maschio in buona salute per la mia Gretel.'

"Bautz batté i tacchi, si mise sull'attenti e rispose: 'Jawohl, Altezza Imperiale.' Poi uscì, saltò sulla Daimler del *Kronprinz* e cominciò a viaggiare da uno zoo all'altro. Un paio di settimane dopo tornò con un gigantesco scimpanzè che si chiamava Giorgio Quinto. Venne organizzato un ricevimento straordinario, durante il quale tutti si ubriacarono di champagne e Bautz fu insignito della *Ritterkreuz*, ornata di foglie di quercia. C'è un'altra storia che devo raccontarle. Un giorno Bautz era seduto vicino a un certo Hauptmann Brandt il quale, nella vita civile, era un agente d'assicurazioni, ma cercava sempre di dimostrarsi '*plus royaliste que le roi*', quando d'un tratto..." e mio padre continuò su questo tono finché si ricordò che, nel suo studio, c'erano dei pazienti ad aspettarlo. Batté i tacchi un'ultima volta e disse: "Spero, signor conte, che vorrà considerare questa come la sua seconda casa. La prego di ricordarmi al suo signor padre." Dopodiché, raggiante di piacere e di orgoglio, mi rivolse un breve cenno del capo per mostrarmi la sua soddisfazione e lasciò la stanza.

Rimasi seduto in preda a un grande turbamento. Ero sconvolto, orripilato. Perché l'aveva fatto? Non l'avevo mai visto comportarsi così sfacciatamente. Né mai, prima di allora, l'avevo sentito parlare di Trompeda e del terribile Bautz. E la disgustosa storia della scimmia, poi! Che avesse inventato tutto per far colpo su Konradin, proprio come avevo fatto io, anche se con minore invadenza? Che fosse anche lui, come me, vittima del mito degli Hohenfels? E quel battere di tacchi! A beneficio di un ragazzo, per giunta!

Per la seconda volta in meno di un'ora provai un sentimento di odio nei confronti del mio innocente amico che, con la sua sola presenza, aveva trasformato mio padre nella caricatura di se stesso. Avevo sempre nutrito una grande ammirazione nei confronti di papà. Mi sembrava dotato di tutte le qualità di cui ero privo, prime tra tutte il coraggio e la chiarezza della mente, poi era un uomo che faceva amicizia facilmente e svolgeva il suo lavoro con scrupolo e senza risparmiarsi. Certo, con me era riservato e non riusciva a dimostrarmi il suo affetto, ma io sapevo che mi voleva bene e che era orgoglioso di me. E ora aveva distrutto quest'immagine, dandomi buoni motivi per vergognarmi di lui. Come mi era sembrato ridicolo, pomposo e servile! Lui, l'uomo verso cui Konradin avrebbe dovuto mostrarsi rispettoso! L'immagine di mio padre che batteva i tacchi e si rivolgeva al mio amico salutandolo in stile militaresco — scena raccapricciante, quant'altre mai — avrebbe cancellato per sempre il mito del padre-eroe che avevo coltivato in passato. Per me non sarebbe più stato lo stesso: non avrei più potuto guardarlo negli occhi senza provare vergogna e dolore, e senza vergognarmi del fatto che mi vergognavo.

Tremavo violentemente e a malapena riuscivo a trattenere le lacrime. Non avevo che un desiderio: non rivedere mai più Konradin. Ma il mio amico,

che doveva aver capito il dramma che si stava svol-
gendo dentro di me, pareva totalmente assorbito dai
miei libri. Se non si fosse comportato così, se mi
avesse parlato, o peggio, se avesse cercato di conso-
larmi, di toccarmi, l'avrei certamente colpito. Aveva
insultato mio padre, mettendo a nudo lo snob che era
in me e infliggendomi una meritata umiliazione. E
invece Konradin fece ciò che andava fatto. Mi lasciò
il tempo di riprendermi e quando, cinque minuti dopo, si voltò e mi sorrise, gli ricambiai il sorriso tra le
lacrime.

Trascorsi due giorni tornò. Senza farselo dire, appese il suo cappotto in anticamera e, come se fosse
la cosa più naturale del mondo, si diresse verso il
soggiorno in cerca di mia madre. Lei lo salutò nello
stesso modo amichevole e rassicurante della volta precedente, alzando appena gli occhi dal lavoro, quasi
che si trattasse di un altro figlio. Poi ci offrì del caffè
e degli *Streusselkuchen* e da allora in poi Konradin
venne a trovarmi con regolarità, tre o quattro volte
la settimana. Pareva felice e rilassato di essere con
noi e solo il timore che mio padre potesse racconta-
re qualcun'altro dei suoi terribili aneddoti gettava
un'ombra sul mio pacere. Ma anche papà era più
tranquillo e finì per abituarsi a tal punto alla presenza del ragazzo che smise di chiamarlo "signor conte"
per passare al più familiare "Konradin".

13

Da quando Konradin era stato a casa mia mi aspettavo di essere invitato a mia volta, ma i giorni e le settimane passavano senza che questo avvenisse. Indugiavamo sempre davanti al cancello sormontato dai due grifoni che reggevano lo stemma degli Hohenfels fino al momento in cui lui mi salutava e, aprendo il pesante cancello, risaliva il vialetto odoroso, bordato di oleandri, che portava al portico e all'ingresso principale. Bussava piano all'enorme portone nero, che si apriva silenziosamente, e spariva all'interno come se non dovesse mai più ricomparire. Di tanto in tanto, io restavo ad aspettare per qualche istante, nella speranza che Sesamo si aprisse di nuovo e che Konradin riemergesse, facendomi cenno di entrare. Ma la mia speranza non si avverava mai e la porta incombeva minacciosa quanto i due grifoni che mi scrutavano dall'alto, crudeli e impietosi, con gli artigli acuminati e le lingue biforcute a forma di falce, pronti a strapparmi il cuore. Giorno dopo giorno subivo la tortura della separazione e dell'esclusione, giorno dopo giorno la casa, che conteneva la chiave della nostra amicizia, cresceva in importanza e in mistero. Con la fantasia la riempivo di tesori: stendardi di nemici sconfitti, spade di crociati, armature, lampade che un tempo avevano diffuso la loro luce a Isfahan e a Teheran, broccati provenienti da Samarcanda e da Bisanzio. Ma le barriere che mi tenevano lontano da Konradin continuavano a ergersi come se non dovessero mai crollare. Non riuscivo a capire. Era impossibile che lui, così attento a non ferire nessuno, così premuroso, sempre pronto a scusare la mia impulsività e l'aggressività con cui reagivo ogniqualvolta non si dimostrava d'accordo con la mia *Weltanschauung*, si fosse dimenticato di invitarmi. Frattanto io, troppo orgoglioso per chiederglielo, divenivo sempre più sospettoso ed agitato, mentre il desiderio di penetrare nella roccaforte degli Hohenfels si trasformava in un'ossessione.

Un giorno — stavo quasi per andarmene — si voltò all'improvviso e mi disse: "Vieni dentro, non hai mai visto la mia stanza." Senza lasciarmi il tempo di rispondere, spinse il cancello di ferro battuto e i due grifoni retrocedettero, ancora minacciosi ma momentaneamente impotenti, sbattendo invano le loro ali predatrici.

L'invito mi aveva colto alla sprovvista ed ero terrorizzato. Il coronamento dei miei sogni era giunto così inatteso che per un attimo provai la tentazione di fuggire. Avrei dovuto conoscere i suoi genitori così, con le scarpe impolverate e il colletto sporco? Come avrei potuto affrontare sua madre che una volta avevo scorto da lontano, sagoma scura su uno sfondo di magnolie rosa, con la pelle del colore delle olive — non bianca come quella di mia madre —, gli occhi a forma di mandorla e, nella mano destra, un parasole bianco che faceva ruotare come una girandola? Ma non mi restava altro che seguirlo tremando. Così come gli avevo già visto fare sia nella realtà che nei miei sogni, alzò la mano destra e bussò piano alla porta che, obbedendo al suo comando, si aprì silenziosamente per farci entrare.

Per un attimo ebbi la sensazione di sprofondare nel buio, poi, man mano che i miei occhi si abituavano all'oscurità, vidi una grande anticamera, le cui pareti erano coperte di trofei di caccia: corna gigantesche, la testa di un bisonte europeo, le zanne color crema di un elefante il cui piede, montato in argento, fungeva da portaombrelli. Appesi il cappotto e lasciai la cartella su una sedia. Arrivò un cameriere e si inchinò. "*Das Kaffee ist serviert, Herr Graf,*" disse a Konradin. Questi rispose con un cenno d'assenso e mi precedette su per una scala di quercia scura fino al primo piano, dove intravidi una serie di porte chiuse e notai, sulle pareti rivestite in quercia, un quadro raffigurante una caccia all'orso, un altro che rappresentava un combattimento di cervi, un ritratto dell'ultimo re e la veduta di un castello che sembrava un misto tra quelli di Hohenzollern e di Neuschwanstein. Da lì salimmo al secondo piano e ci inoltrammo in un corridoio dov'erano appesi altri quadri: "Lutero davanti a Carlo V", "I Crociati entrano a Gerusalemme", e "Il Barbarossa dormiente nei monti Kyffhäusser, con la barba che cresce attraverso un tavolo di marmo". C'era una porta aperta.

All'interno vidi una camera da letto femminile con il piano della toilette zeppo di bottigliette di profumo e di spazzole con il dorso di tartaruga intarsiata d'argento. C'erano molte fotografie inserite in cornici anch'esse d'argento, soprattutto ritratti di ufficiali; uno di essi somigliava in modo sorprendente ad Adolf Hitler, tanto che ne rimasi sconvolto. Non avevo tempo di indagare e, comunque, dovevo essermi sbagliato perché che senso mai poteva avere una foto di Hitler nella camera da letto di un Hohenfels?

Finalmente Konradin si fermò. Entrammo nella sua stanza, che non differiva molto dalla mia, se non per le dimensioni. Da essa lo sguardo spaziava su un giardino ben tenuto in cui spiccavano una fontana, un tempietto dorico e la statua di una dea coperta di licheni gialli. Ma Konradin non mi lasciò il tempo di contemplare il paesaggio. Si precipitò verso un armadio e con una fretta che mi rivelò fino a che punto avesse atteso quest'occasione, gli occhi risplendenti al pensiero dello stupore e dell'invidia che stava per suscitare in me, espose i suoi tesori. Dal cotone idrofilo in cui erano riposte estrasse le sue monete greche: un Pegaso di Corinto, un Minotauro di Cnosso, e altre che provenivano da Lampsago, Agrigento, Segesta e Selinunte. Ma non era tutto qui: a queste seguirono altre rarità, ben più preziose delle mie: la statuina di una dea proveniente da Gela, una bottiglietta originaria di Cipro, dalla forma e dal colore simili a quelli di un'arancia e ornata di disegni geometrici, un tanagra che rappresentava una fanciulla con indosso il chitone e in testa un cappello di paglia, una coppa di vetro siriano, iridescente come un opale

e sfaccettata come una pietra di luna, un vaso romano di colore verde pallido, lattiginoso come la giada,
e una figurina greca in bronzo raffigurante Ercole.
Era commovente vedere quanto fosse felice di mostrarmi la sua collezione e di scorgere sul mio viso lo
stupore e l'ammirazione.

Il tempo passò con una straordinaria rapidità e
quando, due ore dopo, me ne andai, non provai alcun
rimpianto all'idea di non aver conosciuto i suoi genitori, né mi sfiorò il sospetto che avrebbero potuto
essere fuori di casa.

14.

Un paio di settimane dopo mi invitò nuovamente a casa sua. Tutto si svolse esattamente come la volta precedente: chiacchierammo, osservammo, paragonammo, ammirammo. Anche stavolta, a quanto pareva, i suoi genitori erano assenti, ma io non me ne dolsi, anche perché ero piuttosto timoroso di incontrarli. La quarta volta che ciò avvenne, tuttavia, cominciai a sospettare che non si trattasse di una coincidenza e a temere che mi invitasse unicamente quando i suoi genitori erano via. Nonostante mi sentissi vagamente offeso, non osai chiedergli delle spiegazioni al proposito.

Poi un giorno mi tornò in mente la fotografia di quel tipo che assomigliava tanto a Hitler, ma subito mi vergognai di avere sospettato, anche per un attimo, che i genitori del mio amico avessero rapporti con un individuo del genere.

15

E venne il giorno in cui non rimase più spazio per i dubbi.

Mia madre mi aveva procurato un biglietto per il *Fidelio*, diretto da Furtwängler, ed io ero già seduto in poltrona, in attesa che si levasse il sipario. I violini cominciarono ad accordare i loro strumenti, poi a suonare in sordina, mentre una folla elegante gremiva il teatro dell'opera, uno dei più belli d'Europa. Persino il Presidente della repubblica ci aveva onorato della sua presenza.

Ma quasi nessuno lo guardava. Tutti gli sguardi erano rivolti verso la porta, accanto alla prima fila di poltrone, attraverso la quale, lenti e maestosi, stavano facendo il loro ingresso gli Hohenfels. Con un sussulto di sorpresa e qualche incertezza riconobbi nel giovane estraneo ed elegante, che sfoggiava uno smoking, il mio amico. Era seguito dalla contessa, in un abito nero completato da una tiara scintillante di brillanti, una collana di brillanti e un paio di orecchini di brillanti, che diffondevano una luce azzurrina sulla sua carnagione olivastra. Per ultimo veniva il conte, che vedevo per la prima volta, un uomo dai capelli e dai baffi grigi, con una stella tempestata di brillanti che mandava bagliori all'altezza del cuore. Si fermarono un attimo, uniti, superiori, perché la gente li guardasse a bocca aperta, forti di un diritto conferito loro da novecento anni di storia. Finalmente decisero di avviarsi ai loro posti. Il conte avanzò per primo, seguito dalla contessa, sulla cui bella testa danzava l'aurora boreale dei brillanti. Infine si mosse Kōnradin che, prima di sedersi, si guardò attorno, salutando con un cenno del capo le persone che conosceva con la stessa sicurezza del padre. Tutt'a un tratto mi vide, ma non diede alcun segno di riconoscermi, poi il suo sguardo riprese a vagare per la platea, si levò verso i palchi e tornò ad abbassarsi. Mi vide, ne sono certo, perché i suoi occhi, incontrando i miei, ebbero un guizzo da cui capii che aveva registrato la mia presenza. Poi il sipario si alzò e tanto gli Hohenfels che noi, appartenenti al volgo, precipitammo nell'oscurità fino al primo intervallo.

Appena calò il sipario, senza attendere che si spegnessero gli applausi, andai nel foyer, un salone enorme con colonne di marmo in stile corinzio, lampadari di cristallo, grandi specchiere dalle cornici dorate, tappeti rosso ciclamino e, alle pareti, una tappezzeria color del miele. Mi appoggiai a una colonna e, cercando di assumere un'aria altera e disdegnosa, attesi che comparissero gli Hohenfels. Quando li vidi, tuttavia, provai il desiderio di fuggire. Non sarebbe stato meglio evitare la pugnalata che, come ben sapevo con l'atavico istinto dei figli degli ebrei, di lì a poco mi sarebbe stata inferta al cuore? Perché non sottrarsi al dolore? Perché rischiare di perdere un amico esigendo delle prove, invece di lasciare che i sospetti sfumassero pian piano, da soli? Ma non avevo la forza di fuggire, cosicché, contro la sofferenza e appoggiandomi tutto tremante alla colonna per sostenermi, mi preparai a ricevere il colpo di grazia.

Frattanto gli Hohenfels, con incedere lento e maestoso, si facevano sempre più vicini. Procedevano uno accanto all'altro e la contessa, che stava nel mezzo, salutava i conoscenti con un cenno del capo o agitando la mano ingioiellata come se fosse stata un ventaglio, mentre i brillanti che le incorniciavano il collo e il capo emanavano raggi di luce simili a gocce di acqua cristallina. Anche il conte chinava leggermente il capo per salutare e lo stesso fece nel vedere il Presidente della repubblica, il quale rispose con un profondo inchino. La folla si apriva al loro passaggio e la regale processione proseguiva il suo cammino senza incontrare ostacoli, altera e minacciosa.

Gli Hohenfels distavano ancora una decina di metri dal punto in cui li attendevo, ben deciso ad appurare la verità. Non avevo più via di scampo. La distanza si ridusse a cinque metri, poi a quattro. Tutt'a un tratto Konradin mi vide, sorrise, portò la mano destra al bavero come per togliersi un granello di polvere e... mi avevano già superato. Continuarono ad avanzare con solennità, come se stessero seguendo l'invisibile sarcofago di porfido di uno dei Potenti della terra, procedendo al ritmo di una marcia funebre che nessuno udiva, senza smettere di sorridere e di alzare la mano in un gesto quasi benedicente. Quando giunsero all'estremità del foyer li persi di vista, ma qualche istante dopo il conte e la contessa tornarono, questa volta senza Konradin. Continuarono il loro andirivieni, accettando l'omaggio dei presenti.

Quando suonò il campanello che annunciava l'inizio del secondo atto, abbandonai la mia postazione, tornai a casa e, senza farmi vedere dai miei genitori, me ne andai dritto a letto.

Quella notte dormii malissimo. Sognai che venivo aggredito da due leoni e da una leonessa e forse urlai perché, svegliatomi di soprassalto, vidi i miei genitori chini sul mio letto. Mio padre mi misurò la febbre, ma non dovette trovare niente di anormale perché, la mattina seguente, andai a scuola come il solito, nonostante mi sentissi debole come al termine di una lunga malattia. Konradin non era ancora arrivato. Mi diressi al mio banco dove rimasi seduto, fingendo di correggere un compito, e non alzai gli occhi nemmeno quando entrò. Anche lui andò dritto al suo posto e si mise a sistemare libri e matite senza guardarmi. Ma appena suonò la campana che annunciava la fine della lezione, mi si avvicinò e, appoggiandomi le mani sulle spalle — un gesto che non aveva mai fatto —, mi rivolse qualche domanda, evitando tuttavia la più ovvia, e cioè se mi fosse piaciuto il *Fidelio*. Risposi il più naturalmente possibile. Al termine della giornata scolastica Konradin mi aspettò e ce ne tornammo a casa assieme come se nulla fosse successo. Per una buona mezz'ora continuai a far finta di niente, pur sapendo che non gli sfuggiva ciò che si agitava in me, altrimenti non avrebbe esitato ad affrontare l'argomento che più ci stava a cuore, e precisamente l'episodio della sera precedente. Poi, mentre il cancello di ferro si apriva, preannunciando la nostra separazione, mi voltai verso di lui e gli dissi: "Konradin, perché mi hai evitato, ieri?"

Forse si aspettava la domanda, ma essa dovette ugualmente turbarlo perché prima arrossì poi impallidì. Chissà, probabilmente aveva sperato che non gliela ponessi e che, dopo qualche giorno di broncio, avrei dimenticato l'accaduto. Una cosa era chiara, non era preparato alla mia franchezza, tanto che prese a farfugliare qualcosa del tipo che "non mi aveva affatto evitato", che "soffrivo di allucinazioni", che ero "ipersensibile" e che "non aveva potuto lasciare i suoi genitori."

Ma io mi rifiutai di accettare le sue giustificazioni. "Senti un po', Konradin," gli dissi. "Sai perfettamente che ho ragione. Credi che non mi sia accorto che le uniche volte in cui mi hai invitato a casa tua i tuoi genitori non c'erano? Sei davvero convinto che siano tutte allucinazioni? Ho bisogno di sapere come stanno le cose. Non voglio perdere la tua amicizia, lo sai... Ero solo prima del tuo arrivo e tornerei ad esserlo se tu mi respingessi, ma non posso sopportare l'idea che ti vergogni di me al punto da non volermi presentare ai tuoi genitori. Cerca di capirmi. Non mi interessa frequentarli abitualmente, mi basta solo conoscerli, rimanere con loro cinque minuti. Basterebbe questo a far sì che non mi sentissi indesiderato in casa tua. E poi, preferisco la solitudine alle umiliazioni. Valgo quanto tutti gli Hohenfels del mondo. Nessuno ha il diritto di umiliarmi, te l'assicuro, re, principe o conte che sia."

Parole fiere, ma ormai ero sull'orlo del pianto e credo che avrei dovuto interrompermi se Konradin non mi avesse preceduto. "Ti sbagli, non ho nessuna intenzione di umiliarti. E come potrei? Sai benissimo che sei il mio unico amico. E sai che ti sono affezionato più che a chiunque altro. Sai anche che ero molto solo e che, se ti perdo, perderò l'unico amico di cui possa fidarmi. Come potrei vergognarmi di te, se tutta la scuola è al corrente della nostra amicizia, se siamo sempre assieme? E adesso vieni fuori con questa storia! Come osi accusarmi di una cosa simile?" "Ti credo," gli risposi, rassicurato. "Credo a tutto quello che hai detto. Ma perché ieri eri così diverso? Avresti potuto rivolgermi la parola per un solo istante, dandomi atto di avermi riconosciuto. Non mi aspettavo molto: un saluto, un sorriso, un cenno della mano sarebbero stati sufficienti. Konradin, tu sei un altro in presenza dei tuoi genitori! Perché non hai voluto che li conoscessi? Dopotutto tu conosci mio padre e mia madre. Dimmi la verità. Dev'esserci una ragione se non mi hai presentato, ma l'unica a cui posso pensare è il timore che io riesca loro sgradito."

Ebbe un attimo di esitazione, "D'accordo," disse poi. "*Tu l'as voulu, Georges Dandin, tu l'as voulu.* Vuoi la verità e l'avrai. Come hai intuito — ed era impossibile che proprio tu, tra tanti, non te ne accorgersi, non ho osato presentarti. Ma la ragione non è quella che pensi, non mi vergogno di te. Essa è molto più semplice e più sgradevole. Mia madre appartiene a un'importante famiglia polacca di origine reale e odia gli ebrei. Per secoli e secoli la gente come lei ha ritenuto gli ebrei indegni di qualsiasi considerazione, inferiori ai servi, la feccia della terra, una razza di intoccabili, insomma. E mia madre non solo detesta gli ebrei, ma li teme, anche se non ne ha mai conosciuto uno. Se stesse per morire e non ci fosse nessuno, tranne tuo padre, in grado di salvarla, dubito che si deciderebbe a chiamarlo. Vedi, Hans, mia madre non accetterà mai l'idea di conoscerti. Senza contare che è gelosa di te perché tu, un ebreo, hai saputo conquistare l'affetto di suo figlio. Secondo lei, il fatto che mi si veda con te costituisce una macchia per il nome glorioso degli Hohenfels. E poi ti teme. È convinta che tu non solo abbia minato la mia fede religiosa, ma sia al servizio del giudaismo internazionale, il che per lei è come dire comunismo. Insomma, mi crede vittima delle tue infernali macchinazioni. Non devi ridere, lei fa sul serio. Ho cercato di discuterne, ma tutto quello che sono riuscito a cavarle è stato: 'Mio povero ragazzo, non ti accorgi che sei già nelle loro mani? Hai iniziato a parlare come un ebreo.' Se vuoi tutta la verità, ti dirò anche che ho dovuto lottare per ogni ora passata con te, ma c'è di peggio. Se ho preferito non rivolgerti la parola, ieri sera, è stato solo per evitarti un'umiliazione. No, caro amico, non hai diritto di rimproverarmi, nessun diritto, te lo garantisco."

Fissai negli occhi Konradin che, al pari di me, era molto turbato. "E tuo padre?" balbettai.

"Oh, mio padre! Be', per lui è diverso. Mio padre si disinteressa delle persone con cui sto. Per lui un Hohenfels sarà sempre un Hohenfels, ovunque sia e chiunque frequenti. Forse se tu fossi una ragazza sarebbe diverso. Probabilmente ti accuserebbe di volermi incastrare e la cosa non gli andrebbe affatto. Certo, se la ragazza in questione fosse immensamente ricca *potrebbe*, dico potrebbe, pensare all'eventualità di un matrimonio, ma anche in questo caso non credo che oserebbe urtare i sentimenti di mia madre. Sai, è ancora molto innamorato di lei."

Fino a quel momento era riuscito a non perdere la calma, ma tutt'a un tratto, travolto dall'emozione, gridò: "Non guardarmi con quegli occhi da cane ferito! Non sono responsabile di quello che pensano i miei genitori. Oppure credi che sia colpa mia? Vuoi forse accusarmi di tutti i mali del mondo? Non ti sembra che sia arrivato il momento di crescere, di smetterla di sognare e di affrontare la realtà?" Dopo questo sfogo, si placò. "Mio caro Hans," disse con grande dolcezza, "accettami come sono stato fatto da Dio e da circostanze indipendenti dalla mia volontà. Ho cercato di nasconderti la verità, ma avrei dovuto sapere che non potevo imbrogliarti a lungo. Chissà, forse sarebbe stato meglio se te ne avessi parlato prima, ma sono un codardo e non ne ho avuto il coraggio. Il fatto è che non sopporto l'idea di ferirti. Eppure non credo di essere l'unico responsabile; non è facile essere all'altezza del tuo concetto di amicizia! Ti aspetti troppo dai comuni mortali, mio caro Hans, cerca, quindi, di capirmi e perdonarmi e, ti prego, non togliermi la tua amicizia."

Gli diedi la mano, senza osare di guardarlo negli occhi, per timore che uno dei due potesse scoppiare a piangere. Dopotutto avevamo solo sedici anni. Con gesto lento Konradin richiuse il cancello di ferro che mi separava dal suo mondo. Sapevamo entrambi che non avrei più oltrepassato quel confine e che la casa degli Hohenfels non si sarebbe più aperta ad accogliermi. Konradin si avviò piano verso l'edificio, sfiorò un pulsante e la porta si aprì misteriosamente e senza far rumore. Si voltò e agitò la mano in segno di saluto, ma io non lo ricambiai. I grifoni, con i loro becchi adunchi e gli artigli simili a falci, mi guardavano dall'alto del cancello su cui si ergeva, trionfale, lo stemma degli Hohenfels.

Konradin non mi invitò più a casa sua e io accolsi con riconoscenza questa sua delicatezza. Continuammo a frequentarci come se niente fosse successo e lui venne ancora a trovare mia madre, anche se meno frequentemente di prima. Ma sapevamo che le cose erano ormai cambiate e che quell'episodio era l'inizio della fine della nostra amicizia e dell'adolescenza.

16.

E la fine non tardò molto a venire. Il vento che aveva cominciato a soffiare dall'est raggiunse anche la Svevia. La sua forza crebbe fino a raggiungere l'intensità di un tornado e non si placò che dodici anni dopo, quando Stoccarda era stata distrutta per tre quarti, la medievale Ulm non era più che un ammasso di rovine e Heilbronn un cimitero in cui avevano lasciato la vita dodicimila persone.

Tornato a scuola dopo le vacanze estive, che avevo trascorso in Svizzera con i miei genitori, scoprii che, per la prima volta dopo la guerra mondiale, la dura realtà era penetrata all'interno del liceo Karl Alexander. Fino a quel momento, e per più tempo di quanto non mi rendessi conto all'epoca, la scuola era stato un tempio di studi classici, in cui i Filistei non erano riusciti a introdurre né la tecnologia né la politica. Omero ed Orazio, Euripide e Virgilio contavano ancora, in quelle mura, più di tutti gli inventori e i padroni temporanei del mondo. Era vero che nell'ultima guerra erano caduti più di un centinaio di studenti, ma lo stesso era accaduto agli spartani nella battaglia delle Termopili e ai romani in quella di Canne.

Morire per il proprio paese significava dunque seguirne l'esempio glorioso.

> Nobile è colui che cade in battaglia
> combattendo coraggiosamente per la sua terra natale
> e miserabile l'uomo che, rinnegando la patria,
> fugge dai fertili campi per vivere di elemosina.

Ma prendere parte a una sommossa *politica* era tutt'altra faccenda. Come ci si poteva aspettare che fossimo in grado di capire gli eventi del momento, se i nostri maestri non ci avevano insegnato nulla di quanto era accaduto dopo il 1870? E anche loro, poveri diavoli, come avrebbero potuto comprimere nelle due ore settimanali loro assegnate i greci e i romani, il Sacro Romano Impero e i re svevi, Federico il Grande e la rivoluzione francese, Napoleone e Bismarck? Nemmeno noi, comunque, potevamo più ignorare gli eventi che andavano svolgendosi fuori dal sacro tempio. La città era invasa da enormi manifesti rossi che si scagliavano contro Versailles e gli ebrei. I muri erano deturpati da svastiche e dal simbolo della falce e martello, e lunghi cortei di disoccupati sfilavano di continuo per le strade. Ma, non appena ci ritrovavamo all'interno del nostro liceo, il tempo si fermava e la tradizione riprendeva il sopravvento.

Alla metà di settembre arrivò Herr Pompetzki, il nuovo professore di storia. Veniva da una località

tra Danzica e Königsberg ed era forse il primo prussiano che avesse mai insegnato da noi; la sua pro-
nuncia aspra e dal tono secco suonava strana alle
orecchie degli studenti, abituati alla cadenza e alle
vocali aperte del dialetto svevo.

"Signori," esordì all'inizio della lezione, "c'è
storia e storia. C'è la storia contenuta nei vostri libri e quella che lo sarà tra poco. Sapete tutto della
prima, ma nulla della seconda perché alcune potenze
oscure, di cui mi auguro di potervi parlare presto,
hanno tutto l'interesse a tenervela nascosta. Per il
momento, però, mi limiterò ad accennarvene in linea
generale. Queste 'potenze oscure', come le ho chia-
mate, sono all'opera ovunque, in America, in Germania, ma soprattutto in Russia e, abilmente camuf-
fate, stanno influenzando il nostro stile di vita, mi-
nando i nostri principi morali e il nostro retaggio na-
zionale. 'A quale retaggio si riferisce?' mi chiedere-
te. 'Di cosa sta parlando?' Signori, non vi sembra
incredibile che dobbiate rivolgermi una domanda del
genere? Che non abbiate mai sentito parlare del dono
inestimabile che abbiamo ricevuto? Ebbene, ora vi
spiegherò ciò che questo retaggio ha significato negli
ultimi tremila anni. Verso il 1800 a.C. un gruppo di
tribù ariane, i Dori, fece la sua comparsa in Grecia.
Fino a quell'epoca la Grecia, paese povero e montuo-
so, abitato da popolazioni di razza inferiore, era rimasta immersa nel sonno dell'impotenza. Patria di
barbari, senza passato e senza futuro. Ma poco dopo
l'arrivo degli ariani il quadro mutò completamente
finché, come tutti sappiamo, la Grecia fiorì, fino a
trasformarsi nella civiltà più fulgida della storia del-

l'umanità. E ora facciamo un salto in avanti. Tutti
avete sentito parlare del periodo di oscurantismo che
seguì la caduta dell'Impero romano. Si tratterebbe
dunque solo di un caso se il Rinascimento ha avuto
inizio poco dopo la calata in Italia degli imperatori
germanici? O non è più probabile che sia stato il
sangue tedesco a rendere nuovamente fertile la terra
d'Italia, che era sterile dalla caduta di Roma? È dunque da considerare una coincidenza che le due mas-
sime civiltà del mondo siano sbocciate subito dopo
l'arrivo degli ariani?"

Proseguì su questo tono per un'ora intera. Evitò
accuratamente di dare un nome alle "potenze oscure", ma tutti sapevamo a chi si riferiva, tanto che,
appena uscito, si scatenò una violenta discussione, a
cui io, tuttavia, rimasi estraneo. La maggior parte
dei miei compagni era convinta che avesse detto un
mucchio di idiozie. "E la civiltà cinese, allora?" tuo-
nò Frank. "E gli arabi? E gli incas? Chissà se ha
mai sentito parlare di Ravenna, quest'imbecille."

Ma alcuni, soprattutto i meno brillanti, sosten-
nero che le sue idee non erano del tutto prive di valore. Come spiegare altrimenti la misteriosa ascesa
della Grecia, verificatasi poco dopo l'arrivo dei Dori?

Ma qualunque fosse la nostra opinione su Pompetzki e le sue teorie, la sua presenza cambiò da un
giorno con l'altro l'atmosfera della scuola. Fino a
quel momento non mi ero mai trovato a dover affrontare un'animosità superiore a quella che si manifesta
di solito tra ragazzi che hanno interessi diversi e ap-
partengono a varie classi sociali. Nessuno aveva delle
opinioni precise al mio riguardo e mai ero incorso in

fenomeni di intolleranza religiosa o razziale. Ma una mattina, arrivato a scuola, udii, oltre la porta chiusa della classe, un suono di voci impegnate in un'accanita discussione. Non riuscii a distinguere altro che "gli ebrei", ma il termine ricorreva come una cantilena ed era impossibile fraintendere la passione con cui veniva pronunciato.

Aprii la porta e la discussione si interruppe bruscamente. Sei o sette ragazzi erano riuniti in crocchio e, quando entrai, mi fissarono come se non mi avessero mai visto prima. Cinque di loro se la squagliarono, raggiungendo i rispettivi banchi, ma gli altri due — uno era Bollacher, l'inventore del nomignolo "Castore e Pollack", che non mi rivolgeva più la parola da un mese, e l'altro era Schulz, uno zoticone violento dal peso di ben settantasei chili, figlio di un povero pastore di campagna e destinato a seguire le orme paterne — mi guardarono dritto negli occhi. Bollacher sogghignò, producendosi in quella stupida smorfia di superiorità che assumono alcuni quando, allo zoo, si trovano davanti alla gabbia delle scimmie, e Schulz, tenendosi il naso come se avesse sentito una gran puzza, mi scrutò con espressione provocatoria. Ebbi un attimo di esitazione. Finalmente mi si presentava l'occasione di dare una lezione a quella testa di legno, ma capii che non sarebbe servito a migliorare la situazione. Troppo veleno si era ormai infiltrato nell'atmosfera della scuola. Mi diressi quindi al mio posto fingendo di dare un'ultima occhiata ai compiti, come Konradin, d'altra parte, che sembrava troppo impegnato per accorgersi di quello che stava accadendo.

A questo punto Bollacher, incoraggiato dal fatto che non avevo raccolto la provocazione di Schulz, si precipitò verso di me. "Perché non te ne torni in Palestina?" urlò e, estraendo dalla tasca un foglietto di carta, lo leccò e lo appiccicò sul mio banco, proprio davanti a me. Sul foglio c'era scritto: "Gli ebrei hanno rovinato la Germania. Tedeschi, svegliatevi!"

"Togli quella roba," gli ingiunsi.

"Toglila da te," mi rispose. "Bada, però: se lo fai ti spezzo le ossa ad una ad una."

Eravamo arrivati al dunque. Tutti i ragazzi, compreso Konradin, si alzarono per vedere cosa sarebbe successo. Questa volta ero troppo impaurito per esitare. Era vincere o morire. Colpii Bollacher sul viso più forte che potei. Vacillò, poi mi restituì il colpo. Entrambi eravamo privi di qualsiasi tecnica e ci scagliavamo l'uno contro l'altro nell'ignoranza totale di ogni regola... sì, ma era anche nazista contro ebreo e io mi battevo per la giusta causa.

La mia appassionata consapevolezza non sarebbe stata sufficiente a farmi prevalere se Bollacher nel tirarmi un pugno che io schivai non fosse inciampato andando ad incastrarsi tra due banchi nell'attimo stesso in cui Pompetzki entrava in classe. Bollacher si rialzò. Con le guance rigate da lacrime di umiliazione mi additò e disse: "È stato Schwarz a cominciare."

Pompetzki mi squadrò. "Perché hai aggredito Bollacher?" mi chiese.

"Perché mi ha insultato," risposi, tremando per la rabbia e la tensione.

"Davvero? E cosa ti ha detto?" si informò Pompetzki in tono mellifluo.

"Mi ha detto di tornare in Palestina."

"Ah, capisco," commentò il professore con un sorriso. "Ma non si tratta di un insulto, caro Schwarz! È un buon consiglio, un consiglio d'amico. E adesso sedetevi, tutti e due. Se volete prendervi a pugni, fatelo pure, ma fuori di qui. E tu, Bollacher, ricorda che devi essere paziente. Presto tutti i nostri problemi saranno risolti. E adesso torniamo alla nostra lezione di storia."

Quando, al sopraggiungere della sera, venne il momento di tornare a casa, attesi che tutti se ne fossero andati. Nutrivo ancora una debole speranza che *lui* fosse rimasto ad aspettarmi, che mi avrebbe aiutato e consolato in quel momento di disperazione. Ma quando uscii, la strada era fredda e vuota come una spiaggia in una giornata d'inverno.

Da allora lo evitai. Sapevo che il farsi vedere con me avrebbe costituito per lui motivo di imbarazzo e pensai che mi sarebbe stato riconoscente per la mia decisione. Ormai ero solo. Nessuno mi rivolgeva più la parola. Nemmeno Max Muscolo, che aveva preso a portare una piccola svastica d'argento sulla giacca, mi chiedeva più di esibirmi di fronte agli altri. Persino i vecchi professori parevano essersi dimenticati di me. Non me ne dolevo. Il lungo e crudele processo che mi avrebbe portato a perdere le mie radici era iniziato e già le luci che avevano guidato il mio cammino si stavano affievolendo.

17

Un giorno all'inizio di dicembre in cui ero tornato a casa stanco, mio padre mi convocò nel suo studio. Era invecchiato negli ultimi sei mesi e sembrava che avesse qualche difficoltà a respirare. "Siediti, Hans, voglio parlarti. Ciò che sto per dirti costituirà per te un grosso colpo. Tua madre ed io abbiamo deciso di mandarti in America, almeno momentaneamente, finché la tempesta non si sarà calmata. Abbiamo a New York dei parenti che si prenderanno cura di te e faranno in modo che tu possa andare all'università. Siamo convinti che questa sia la soluzione migliore. Non mi hai mai parlato di ciò che succede a scuola, ma immagino che non deve essere stato facile per te. All'università sarebbe ancor peggio. Oh! Questa separazione non durerà a lungo! Il nostro popolo tornerà a ragionare nel giro di qualche anno. Quanto a tua madre e a me, abbiamo deciso di rimanere. Questa è la nostra patria, la terra in cui siamo nati e a cui apparteniamo e non permetteremo che nessun bastardo di austriaco ce la sottragga. Sono troppo vecchio per mutare le mie abitudini, mentre tu sei giovane e hai tutta la vita davanti. Ti prego di non fare obiezioni, di non discutere, per non renderci tutto ancor più difficile. E ora, per l'amor di Dio, ti prego di non parlare per un po'."

E così fu deciso. Lasciai la scuola a Natale e il 19 gennaio, giorno del mio compleanno, circa un anno dopo che Konradin era entrato nella mia vita, partii per l'America. Prima della partenza ricevetti due lettere. La prima, in versi, era il prodotto degli sforzi congiunti di Bollacher e di Schulz:

> Piccolo Yid — vogliamo dirti addio
> Che tu raggiunga all'inferno i senzadio.
>
> Piccolo Yid — ma dove te ne andrai?
> Nel paese da cui non si torna giammai?
>
> Piccolo Yid — non farti più vedere
> Se vuoi crepare con le ossa intere.

La seconda, invece, diceva:

Mio caro Hans,

questa è una lettera difficile. Prima di tutto voglio dirti quanto mi dispiaccia che tu stia per partire per l'America. Non dev'essere facile per te, che ami tanto la Germania, ricominciare una nuova vita in un paese con cui né io né te abbiamo niente in comune e mi immagino l'amarezza e l'infelicità che devi provare. Tuttavia, questa è la soluzione più saggia, date le circostanze. La Germania di domani sarà diversa da quella che abbiamo conosciuto. Sarà una nazione nuova, guidata da un uomo che deciderà del nostro fato e di quello di tutto il mondo per i prossimi cento anni. So che resterai sconvolto nell'apprendere che io credo in quest'uomo. Lui solo è in grado di salvare il nostro amato paese dal materialismo e dal comunismo, e grazie a lui la Germania potrà ritrovare l'ascendente morale che ha perduto per colpa della sua follia. So bene che non sei d'accordo, ma non vedo altra speranza per noi. La nostra scelta è tra Stalin e Hitler e, tra i due, preferisco Hitler. La sua personalità, la sincerità del suo intento, mi ha colpito come non avrei mai creduto possibile. L'ho incontrato di recente a Monaco, dove mi ero recato con mia madre. Esteriormente è un ometto insignificante, ma appena lo si ascolta parlare si viene travolti dalla forza della sua convinzione, dalla sua volontà di ferro, dalla sua intensità e dalla perspicacia quasi profetica di cui è dotato. Quando lo lasciammo, mia madre era in lacrime e continuava a ripetere: "È Dio che ce l'ha mandato." Non so dirti quanto mi addolori il fatto che, almeno temporaneamente — diciamo un anno o due — non ci sarà posto per te in questa Nuova Germania. Ma non vedo ragione perché tu non possa tornare in futuro. La Germania ha bisogno di uomini come te e io sono convinto che il Führer non solo è perfettamente in grado, ma è anche desideroso di operare una scelta tra gli ebrei di valore e gli indesiderabili.

> Poiché colui che vive presso le sue origini
> è riluttante a lasciarle.

84

Mi rallegro che i tuoi genitori abbiano deciso di restare. Nessuno li molesterà, naturalmente, ed essi potranno vivere e morire qui, in pace e in serenità.

Forse un giorno i nostri cammini si incroceranno di nuovo. Mi ricorderò sempre di te, caro Hans! Hai avuto una grande influenza su di me. Mi hai insegnato a pensare e a dubitare e, attraverso il dubbio, a ritrovare Gesù Cristo, nostro signore e salvatore.

Il tuo affezionato,
Konradin v. H.

18

E così me ne andai in America, dove vivo ormai da trent'anni.

Quando arrivai, terminai gli studi superiori e poi mi iscrissi ad Harvard, alla facoltà di legge. La sola idea mi ripugnava. Volevo diventare un poeta, ma il cugino di mio padre non era disposto ad ascoltare simili sciocchezze. "La poesia, la poesia," diceva. "Credi di essere un secondo Schiller? Sai quanto guadagna un poeta? Prima studia legge. Poi, nel tempo libero, potrai scrivere tutte le poesie che vorrai."

E così studiai legge. A venticinque anni divenni avvocato e sposai una ragazza di Boston da cui ho avuto un figlio. Nel mio mestiere me la sono cavata piuttosto bene, anzi, molti sarebbero disposti ad affermare che sono un uomo di successo.

In apparenza non si potrebbe dare loro torto. Ho tutto quello che ci vuole: un appartamento che si affaccia sul Central Park, delle automobili, una casa di campagna, senza contare che sono socio di parecchi club ebraici e via dicendo. Ma io non la penso così. Non ho mai fatto quello che mi sarebbe piaciuto fare: scrivere un buon libro e un'*unica* bella poesia. All'inizio mi mancava il coraggio di mettermi all'opera perché non avevo soldi, ma ora che i soldi li ho, il coraggio mi manca ugualmente perché non ho sufficiente fiducia in me. È per questo che, in fondo al cuore, mi considero un fallito. Non che questo importi molto. *Sub specie aeternitatis* tutti noi, senza eccezione, siamo dei falliti. Non ricordo più dove ho letto che "la morte intacca la nostra fiducia nella vita mostrandoci che, in fin dei conti, tutto è ugualmente futile se visto in rapporto alle tenebre che ci attendono." Sì, "futile" è la parola esatta. Eppure non posso lamentarmi: ho più amici che nemici e ci sono momenti in cui sono quasi felice di essere al mondo — quando guardo il sole che tramonta e la luna che spunta, o vedo la neve sulla cima delle montagne. Ci sono anche altre compensazioni, come quando riesco a esercitare la mia influenza a favore di una causa che considero giusta, sia essa l'eguaglianza razziale o l'abolizione della pena capitale. Sono felice di aver raggiunto una buona posizione finanziaria perché essa mi ha permesso di aiutare gli ebrei a costruire Israele e gli arabi a sistemare qualcuno dei loro profughi. Ho persino mandato dei soldi in Germania.

I miei genitori sono morti, ma per fortuna non sono finiti a Belsen. Un giorno un nazista ricevette l'incarico di piazzarsi fuori dalla porta dello studio di mio padre con un cartello su cui era scritto: "Tedeschi, attenti. Evitate gli ebrei. Chiunque avrà a che fare con un ebreo sarà rovinato." Mio padre, allora, indossò l'uniforme da ufficiale, vi appuntò tutte le sue decorazioni, tra cui la Croce di Ferro di prima classe, e andò a mettersi di fianco al nazista. Questi aveva l'aria sempre più imbarazzata, mentre, pian piano si radunava attorno a loro una piccola folla. All'inizio la gente rimase in silenzio, ma, man mano che il numero dei presenti cresceva, cominciarono a udirsi dei borbottii che si trasformarono ben presto in grida di scherno.

L'ostilità era diretta al nazista tanto che questi, poco dopo, pensò bene di andarsene. Non tornò più, né fu sostituito. Trascorsi alcuni giorni, mentre mia madre dormiva, papà aprì il gas. Fu così che morirono. Da allora ho fatto il possibile per evitare qualsiasi rapporto con i tedeschi e non ho più aperto neanche un libro scritto in tedesco. Nemmeno Hölderlin. Ho cercato di dimenticare.

Com'era inevitabile, alcuni tedeschi hanno incrociato la mia strada, brave persone che erano finite in prigione per essersi opposte a Hitler. Tuttavia, prima di stringere loro la mano, mi sono sempre informato sul loro passato. Bisogna fare attenzione prima di concedere la propria fiducia a un tedesco. Come si fa a essere certi che l'uomo con cui si sta parlando non abbia immerso le mani nel sangue dei vostri amici o dei vostri parenti? Nel caso delle persone a cui accennavo prima, tuttavia, non esistevano dubbi in proposito. Nonostante l'attività svolta a favore della resistenza, capitava spesso che fossero tormentati dai sensi di colpa, cosa di cui mi dolevo. Ma anche con loro fingevo di avere qualche difficoltà a parlare tedesco.

È una specie di facciata protettiva che adotto quasi (ma non del tutto) inconsciamente quando devo parlare con un tedesco. In realtà mi esprimo ancora perfettamente, accento americano a parte, ma non amo servirmi della mia lingua d'origine. Le mie ferite non si sono ancora rimarginate e, ogni volta che ripenso alla Germania, è come se venissero sfregate con il sale.

Un giorno incontrai un uomo che veniva dal Württemberg e gli chiesi che ne era di Stoccarda.

"È stata distrutta per tre quarti," rispose.

"E il Karl Alexander Gymnasium?"

"È stato ridotto a un cumulo di macerie."

"E il palazzo degli Hohenfels?"

"Anche quello."

Scoppiai a ridere, senza riuscire a fermarmi.

"Perché tanta ilarità?" mi domandò l'uomo, stupefatto. "Non vedo che cosa ci sia di tanto comico."

"Non importa," ribattei. "È vero, non c'è niente di comico."

Cos'altro potevo dirgli? Come fare a spiegargli perché ridevo, se io stesso non riuscivo a capirlo?

19

Tutto questo mi tornò alla memoria poco tempo fa quando mi giunse, del tutto inattesa, una richiesta di fondi da parte del Karl Alexander Gymnasium, accompagnata da un libretto contenente una lista di nomi, per l'erezione di un monumento funebre alla memoria degli allievi caduti durante la seconda guerra mondiale. Non so come fossero riusciti a rintracciarmi e non riesco a spiegarmi come avessero fatto ad appurare che, un migliaio di anni prima, anch'io ero stato uno dei loro. Il mio primo impulso fu quello di buttare tutto nel cestino della carta straccia: cosa importava a me della "loro" morte: non avevo più niente a che fare con "loro", proprio niente. Quella parte di me non era mai esistita. Avevo eliminato diciassette anni della mia vita senza chiedere niente e adesso avevano la sfrontatezza di venire a chiedere *a me* un contributo.

Ma alla fine cambiai idea e lessi l'appello. I ragazzi morti o dispersi erano stati ben quattrocento. Seguiva l'elenco dei nomi in ordine alfabetico. Lo scorsi, evitando di soffermarmi alla lettera H.

"ADALBERT, Fritz, caduto in Russia nel 1942." Sì, c'era qualcuno che si chiamava così nella mia classe, ma ai miei occhi doveva essere stato altrettanto insignificante in vita quanto lo era in morte. Lo stesso valeva per il nome seguente, "BEHRENS, Karl, disperso in Russia, presunto morto."

Si trattava, comunque, di giovani con cui ero stato per anni, che un tempo erano stati vivi e pieni di speranza, che avevano riso e sofferto al pari di me.

"FRANK, Kurt." Sì, lui lo ricordavo. Era uno dei tre membri del "Caviale", un bravo ragazzo. Mi dispiaceva che fosse morto.

"MÜLLER, Hugo, caduto in Africa." Anche lui me lo ricordavo. Chiusi gli occhi e dalla mia memoria emerse, simile a un dagherrotipo sbiadito, l'immagine vaga e indistinta di un ragazzo biondo con le fossette. Ed era morto. Poveretto.

Non fu questo il commento che feci leggendo "BOLLACHER, morto, sepoltura ignota." Se c'era qualcuno (e sottolineo *se*) che meritava di morire, questi era lui. E lo stesso valeva per Schulz. Oh, entrambi si stagliavano nella mia memoria e nemmeno la loro poesia avevo dimenticato. Come cominciava?

> Piccolo Yid — vogliamo dirti addio
> Che tu raggiunga all'inferno i senzadio.

Eccome se si erano meritati di morire, sempre che qualcuno se lo meritasse.

Esaminai l'intera lista, saltando a piè pari tutti i nomi che iniziavano per H e, giunto alla fine, scoprii che ben trentasei sui quarantasei studenti che componevano la mia classe avevano perso la vita per "*das 1000-jährige Reich*".

Deposi l'opuscolo e attesi.

Aspettai dieci minuti, poi mezz'ora, senza lasciare con lo sguardo quelle pagine stampate che erano emerse dall'inferno del mio passato antidiluviano — presenze indesiderate — per turbare la pace del mio spirito, riesumando ciò che con tanto sforzo avevo cercato di dimenticare.

Lavoricchiai, feci qualche telefonata, dettai un paio di lettere, senza riuscire a buttare via l'appello, né a trovare il coraggio di cercare l'unico nome che mi ossessionava.

Decisi finalmente di distruggere quell'oggetto atroce. Volevo veramente sapere? Ne avevo davvero bisogno? Che importanza poteva avere che fosse vivo o morto, visto che, comunque, non l'avrei più rivisto?

Ma ne ero proprio sicuro? Era davvero impossibile che la porta di casa si aprisse per farlo entrare? E non stavo già, in quello stesso istante, tendendo l'orecchio per cogliere il suo passo?

Afferrai l'opuscolo con l'intenzione di stracciarlo ma, all'ultimo momento, mi trattenni. Facendomi forza, quasi tremando, lo aprii alla lettera H e lessi.

"VON HOHENFELS, Konradin, implicato nel complotto per uccidere Hitler. *Giustiziato.*"

FRED UHLMAN
STORIA DI UN UOMO

Di fronte a un personaggio indimenticabile come Konradin von Hohenfels è facile chiedersi, come spesso avviene davanti a un'opera letteraria, se sia realmente esistito, se quell'incontro sui banchi di scuola sia davvero avvenuto o se sia stato una creazione della fantasia dell'autore. La risposta si trova in *Storia di un uomo*, l'autobiografia di Uhlman, nelle pagine dove si narra di "un ragazzo che venne a sedersi alla mia sinistra in un posto vuoto..."
È uno dei tanti motivi per amare e leggere questa autobiografia che, a partire dagli anni 20, per trent'anni vi porterà dalla Germania a Parigi, in Spagna, e in Inghilterra, seguendo le orme di una vita avventurosa come poche. Scorreranno sotto i vostri occhi la famiglia di Uhlman, gli anni di scuola, la nascita del nazismo, l'esilio in Francia e in Spagna, l'arrivo in Inghilterra, l'internamento durante la guerra...
Leggerete la storia di un uomo il quale "magari egoisticamente, credeva che è più importante scrivere buoni libri che fare il giro del mondo in ottanta ore, che è più importante dipingere buoni quadri che accumulare grandi fortune, e la cui unica ambizione... è raggiungere le stelle... con la propria arte".
E scoprirete che l'autobiografia può essere la più deliziosa delle forme letterarie.

Stampa Grafica Sipiel
Milano, giugno 2005